Chère lectrice,

Je parierais que vous êtes sur les starting-blocks pour la grande course des préparatifs de Noël ? Et quel cadeau pour qui ? Et quel menu pour la fête ? Sans parler de la tonne de cartes de vœux qu'il vous faudra bientôt envoyer en prenant grand soin de n'oublier personne… C'est la tradition, avec ses contraintes mais aussi ses joies. Alors, entre deux séances de shopping, *Take a break in the rush !*, prenez le temps de faire une pause, de vous ménager des moments rien qu'à vous pour vous plonger dans les romans passionnants que Rouge Passion a prévus à votre intention ce mois-ci.

Et tout d'abord, puisque c'est de saison, *Les amants de Noël*, où Shep le séducteur découvre qu'une femme est bien plus qu'un beau paquet enrubanné de doré (1243) — très jolie surprise… Une autre histoire auréolée du charme de Noël vous transportera dans le monde de Maggie qui attend l'Amour (*La reine de la fête*, 1245)… Touchante et (diablement) romantique, Colombe a *Mieux que les mots* à offrir à Jonathan : saura-t-il apprécier la jeune femme comme elle le mérite (1244) ?… *Une inexplicable attirance* pousse Adam et Jane l'un vers l'autre ; pourtant, ils sont si différents, apparemment. Avez-vous déjà connu pareille situation (1246) ?… Faith est convaincue d'une chose : si Stone prétend ne l'avoir épousée que pour des raisons pratiques, il a éprouvé la même émotion qu'elle lorsqu'ils se sont embrassés devant l'autel. Et elle ne veut *Pas d'autre que lui* (1247). Reste à amener Stone à lui ouvrir son cœur… « Je t'aimerai toujours », avait chuchoté Gray à Nikki — et à l'époque elle l'avait cru. Mais il l'a abandonnée. Et lorsqu'il revient, Nikki, prise au piège du *Feu du souvenir,* se demande de quoi seront faites les semaines à venir (1248)…

Joy[illegible] lecture !

[illegible]nsable de collection

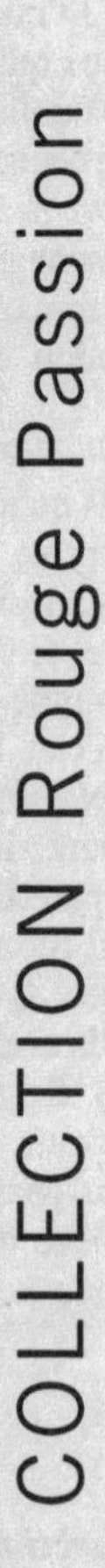

Ce mois-ci

Coffret
"3 romans pour le prix de 2"

Ne manquez pas notre coffret "3 romans pour le prix de 2", composé de 2 romans inédits de la collection Rouge Passion, ainsi que d'un roman de la collection *Les Historiques*, spécialement réédité pour vous et gracieusement offert.

La reine de la fête

KRISTINE ROLOFSON

La reine de la fête

COLLECTION ROUGE PASSION

Cet ouvrage a été publié en langue anglaise sous le titre :
A MAN FOR MAGGIE MOORE

Traduction française de
HERVÉ MALRIEU

Illustration de couverture
© GETTY IMAGES

83-85, boulevard Vincent-Auriol, 75013 PARIS — Tél. : 01 42 16 63 63
Service Lectrices — Tél. : 01 45 82 47 47
ISBN 2-280-08273-X — ISSN 0993-443X

1.

— On nous demande encore d'exercer nos talents ! annonça Ella en empilant ses cartes sur la table. Et je crois bien que nous devrions prendre cette requête en considération.

— Mais le festival est terminé ! objecta Missy. Et nous ne sommes plus qu'à dix jours de Noël !

— Je sais, ma chère, répliqua Ella en contenant un soupir, nous sommes débordées. Néanmoins, j'insiste : nous devons nous occuper de ce cas.

— La personne qui a fait cette demande est-elle sur la liste ? s'inquiéta Grace.

Une fois par semaine, les quatre dames âgées se réunissaient chez les sœurs jumelles Ella et Louisa Bliss pour jouer aux cartes… et poursuivre avec bonheur leur activité favorite — et très ancienne — de marieuses.

— Dans un sens, oui, répondit Ella.

Ella était particulièrement fière des succès que son petit groupe avait remportés depuis six semaines. Owen Chase filait le parfait amour avec sa nouvelle épouse, et les noces de Calder Brown — sa deuxième tentative d'épouser la jolie boulangère — se tiendraient le lendemain matin. Ella s'était même offert une nouvelle robe pour l'occasion, bien qu'elle se défendît de vouloir impressionner qui que ce fût. Elle avait besoin de renouveler sa garde-robe, voilà tout ! avait-elle prétendu.

— Je me suis dit qu'il valait mieux en discuter avant le mariage, poursuivit-elle, afin de pouvoir tout de suite échafauder des plans…

Louisa fit passer à Grace Whitlow le plat incrusté de diamants de sa mère.

— Prends un autre sandwich, dit-elle. C'est une nouvelle recette : poulet-chips-salade.

— Très original ! fit Grace. Je devrais peut-être en proposer aux clients de l'auberge…

— Tu as toujours des pensionnaires ? s'enquit Ella pour changer de sujet, car les innovations culinaires de sa sœur jumelle ne l'avaient jamais beaucoup inspirée.

— Quelques-uns, repartit Grace, lançant à son tour un coup d'œil circonspect aux sandwichs. Lorsqu'ils seront partis, je préparerai les chambres pour ma famille… Bon, dis-moi, Ella, de qui s'agit-il ? Gabe O'Connor était le troisième sur la liste, après Owen et Calder. Je ne peux cependant pas imaginer qu'il t'ait prié de lui trouver une épouse ! ajouta-t-elle en riant.

Si Louisa et Missy firent écho à la bonne humeur de Grace, Ella n'esquissa pas même un sourire. Pourquoi Gabe ne lui demanderait-il pas de l'aider, après tout ce qu'elle avait fait pour ses meilleurs amis ? pensa-t-elle, vexée.

— En effet, ce n'est pas Gabe — pas exactement. C'est Georgianna Moore.

Sa sœur et ses deux amies échangèrent des regards surpris.

— La fille de Maggie Moore, expliqua la vieille dame en dépliant une lettre. Elle a tout juste huit ans. Voici ce qu'elle m'écrit : « Chère mademoiselle Bliss, j'ai besoin d'un nouveau papa. On dit que vous savez arranger ce genre de chose. Merci. Georgianna Johnson Moore ».

— Georgianna, quel joli nom ! murmura Missy. Tellement suranné…

— Maggie nettoie notre grenier ces jours-ci, dit Louisa. Parfois, elle vient avec ses enfants. Je n'aurais jamais cru que l'aînée était si, hum… précoce !

— Dire qu'une jeune femme comme Maggie est obligée de faire de la brocante pour gagner sa vie ! s'exclama Missy en secouant la tête. Son mari n'était vraiment pas à la hauteur.

— Je sais bien qu'il ne faut jamais dire du mal des personnes décédées, renchérit Louisa, mais Jeffrey Moore était loin de valoir son père. Quand je pense qu'il fréquentait, vous savez, la fille de Betsy Walker…

— Tout cela est bien triste ! approuva Grace.

— Maggie exige un prix très raisonnable pour les vieux objets du hangar, reprit Ella, soucieuse de ramener la conversation à la requête de Georgianna. Elle a dressé l'inventaire de tout ce qui encombre notre grenier, et il ne nous reste plus qu'à cocher ce que nous voulons vendre. C'est une jeune femme très sérieuse qui mérite vraiment un bon mari, ne croyez-vous pas ?

— Oui, cela fait des siècles que ces vieilleries s'entassent dans notre hangar ! marmonna Lou.

— Ces vieilleries, comme tu dis, c'est toute l'histoire de notre famille ! s'indigna Ella.

— Peut-être, rétorqua Louisa, mais c'est une histoire enfouie sous un siècle de poussière, et pleine d'objets sans valeur ! Pourrais-tu me dire, par exemple, à quoi servent les vieux chapeaux qui remplissent toute une malle ?

— Et pourquoi ne pas porter certains d'entre eux au mariage, demain ? suggéra Ella. Les costumes d'époque sont à la mode ! A propos, Maggie sera de la fête, évidemment, puisqu'elle sera dame d'honneur — pour la première fois de sa vie. Ce sera l'occasion de lui dénicher quelqu'un qui soit digne d'elle…

— A qui penses-tu ?

— Je ne sais pas ! grimaça Ella en se tournant vers Lou.

Elles se ressemblaient comme le jour et la nuit, au physique comme au moral et, parfois — très rarement, certes — Ella perdait patience avec sa sœur jumelle.

— C'est précisément ce dont nous devons discuter, continua Ella. En fait, c'est ce dont *j'essaye* de parler !

— J'aimerais aider cette petite fille... dit Missy en mordant dans un deuxième sandwich. Ne faudrait-il pas avant tout savoir qui elle aimerait avoir pour père ?

— En attendant, dit Grace, nous pourrions jeter un coup d'œil à ces chapeaux. Il nous faut des habits de fête, pas vrai ?

— Et comment ! opina Ella. C'est notre triomphe que nous allons fêter !

— Eh ! dit Lou, c'est sûrement pour cela que nous sommes invitées d'honneur, toutes les quatre !

— Vous allez peut-être un peu loin, vous deux, tempéra Missy. Enfin ! je suis si heureuse que Lisette et Calder se soient enfin mariés ! Et c'était si gentil de la part de Mac de nous l'annoncer !

— Robert est toujours plein d'attentions, convint Ella, ignorant les petits rires pleins de sous-entendus de sa sœur.

— Trop plein d'attentions, ironisa Louisa en adressant un clin d'œil à Missy.

Le comportement de sa sœur était selon elle indigne d'une dame, et elle ne se privait pas de le lui signifier.

— Pendant ce temps, les chapeaux attendent, interrompit Grace. Il faut nous mettre sur notre trente et un !

— Comme toujours lorsqu'on assiste à un mariage ! conclut Ella, impatiente de savoir si un chapeau à large bord lui siérait.

*

* *

— Faut vraiment y aller ?

— Cela fait cinq fois que tu me poses cette question ! répliqua Gabe à son fils. Et si tu la posais mille fois, je répondrais toujours la même chose : oui, il faut *vraiment* y aller ! Et il faut aussi que tu sois présentable !

Joe O'Connor considéra sa cravate comme si son père l'avait forcé à passer un serpent à sonnettes autour du cou.

— Et pourquoi je peux pas rester à la maison ?

— Parce que c'est aujourd'hui que Calder se marie dans son ranch et que, sa nouvelle femme ayant deux petites filles, les enfants sont invités.

— Je sais ! Elle est dans ma classe, marmonna Joe, assis sur le lit de son père, tandis que ce dernier, debout devant le miroir de la table de toilette, s'évertuait à nouer sa propre cravate.

— Qui cela ?

— Cosette. Quel nom ridicule !

Gabe jeta un dernier coup d'œil au miroir. Hum. Il ferait un garçon d'honneur convenable…

— Georgie l'aime bien, ajouta le gamin, les sourcils froncés.

Bien qu'il eût les yeux verts de sa mère, ses cheveux bruns bouclés et son visage taillé à la serpe étaient purement O'Connor.

— Ah bon ?

— Ouais. Beaucoup. Elle va chez elle pour jouer avec sa sœur.

Ce qui voulait dire que Maggie et ses filles seraient elles aussi de la fête, songea Gabe. Même quatre ans après l'accident, il lui était toujours pénible de rencontrer Maggie…

Il glissa l'index derrière le nœud de sa cravate et inspira profondément.

— Essaye de te comporter correctement, dit-il à son fils. Agis en gentleman.

— Quand même, j'aimerais mieux rester à la maison ! maugréa le gamin.

— Pas moi, rétorqua Gabe en s'emparant de la veste de son costume sombre. Notre ami Calder épouse la meilleure cuisinière de la ville.

— Meilleure que toi ?

— Je pense bien ! Elle fait des tourtes, des gâteaux et toutes sortes de friandises. Je t'ai emmené dans son magasin, tu t'en souviens ?

Il enfila sa veste et consulta de nouveau le miroir. Pas mal pour un homme de trente-deux ans et père de deux enfants ! Certes, il n'aimait guère ces quelques cheveux gris qui apparaissaient sur ses tempes, mais enfin…

— Non. C'est Kate que tu as emmenée.

— Tu as raison ! Mais je t'ai rapporté quelque chose. Et c'était bon. Tout ce qu'elle fait est bon.

— Tu crois ?

— Oui.

Il se détourna du miroir et donna à son fils une bourrade sur les épaules.

— Allons chercher Kate et partons ! J'ai dit à Cal que nous serions en avance.

A cet instant, Kate sortit de sa chambre, toute fière de sa nouvelle tenue.

— Papa, qu'est-ce que tu en penses ?

— Tu es très jolie, Katie, parvint-il à dire malgré sa surprise.

Sa fille de douze ans semblait avoir vieilli de plusieurs années. La nièce aînée d'Owen lui avait conseillé l'achat de cette robe à manches courtes en velours couleur chocolat, de ces bas assortis, et de ces chaussures à hauts talons… Quel contraste avec le jean et le chandail qu'elle portait d'ordinaire — sans parler de ses bottes de cheval ! Ses cheveux tombaient librement sur ses épaules au lieu d'être serrés en une tresse. Pas de doute, sa petite fille n'allait pas tarder à grandir…

— C'est la première fois que je vais à un mariage, dit-elle les yeux brillants — des yeux d'un brun profond comme ceux de son père… C'est vraiment cool !

— Tu crois ?

Joe n'avait pas l'air très convaincu.

— C'est un grand jour pour Calder, affirma Gabe. Il sera ravi de le partager avec ses amis.

— Tu aimes réellement les mariages, papa ?

Gabe ébouriffa les cheveux de son fils et se mit à rire.

— Oui, répondit-il en se dirigeant vers la chambre de sa fille. *Tant que ce n'est pas moi qui me marie !*

— Quoi ?

Gabe ne pensait pas avoir parlé à voix haute.

— Rien, siffla-t-il.

Ses deux meilleurs amis se mariaient à quelques semaines d'intervalle. Les marieuses de la ville n'y étaient certainement pas étrangères… Mentalement, il croisa les doigts pour que les vieilles dames ne soient pas au mariage de Cal. S'il devait les éviter, tout en feignant de se comporter normalement en présence de Maggie, la journée promettait d'être longue…

Bien qu'elle se sentît toujours plus à l'aise en jean et en bottes qu'en robe et en collant, Maggie se prépara de son mieux pour ce mariage décidé à la dernière minute. Son vieil ami Calder méritait une femme adorable comme Lisette, et elle voulait à tout prix assister à la transformation de ce célibataire endurci en époux responsable — et beau-père de deux petites filles.

— M'man ! Arrête de te faire belle, et allons-y ! cria sa fille derrière la porte de la salle de bains.

— O.K. !

Dans l'espoir que son ensemble rouge ne la ferait pas trop ressembler au Père Noël, elle inspecta une dernière fois son reflet. Quinze jours plus tôt, elle avait bien essayé de s'acheter un ensemble neuf ; rien ne lui allant vraiment, elle s'était laissée séduire par celui — de soie rouge — qu'elle avait vu dans la vitrine d'un magasin de fripes. Oh, elle avait sincèrement voulu acheter du neuf — avec les prix étiquetés dessus — comme elle l'avait promis à sa mère, mais il était écrit qu'Agnès Johnson ne connaîtrait que des déceptions avec sa fille...

Maggie s'efforça de nouer ses cheveux blonds sur le sommet de son crâne. Elle y renonça bien vite. Jamais elle ne passerait pour une élégante, se dit-elle avec un soupir résigné. Pas avec un corps tout en rondeurs — les Rubens étaient passés de mode — et de si piètres talents de maquilleuse et de coiffeuse. Quant à ses ongles courts, ses doigts contusionnés et ses lèvres gercées... Mieux valait ne pas y songer. De plus, en fait de bijoux, elle ne possédait que son alliance, qu'elle gardait dans un tiroir de sa commode.

— Ton rouge à lèvres ! lança Lanie, tandis qu'elle rejoignait sa sœur aînée dans le couloir.

Agées de six et huit ans, les petites avaient la distinction de leur père... et le physique de leur mère. Et Maggie se demandait quelles lois régissaient l'hérédité, car ses filles étaient dix fois plus dégourdies que chacun de leurs géniteurs !

— Tu nous as dit de t'empêcher d'oublier ton rouge à lèvres, rappela Lanie.

— Merci, dit Maggie en prenant un tube sur la commode.

— Il est de quelle couleur ?

Maggie retourna le tube et le montra à Georgie.

— « Nuits Torrides »…

Des océans couleraient sous les ponts avant qu'elle connaisse de telles nuits…

— Cool, fit Georgie d'un ton approbateur.

— Hum !

Lanie eut une moue sceptique.

— On dirait que tu es quelqu'un d'autre, maman ! dit-elle.

— Ce n'est pas forcément une mauvaise chose, argua Maggie.

Pourquoi, pensa-t-elle, ne serait-elle pas Margaret Moore, la mystérieuse femme en rouge, plutôt que Maggie Moore, propriétaire d'une boutique de brocante ?

— Violet m'a dit que j'avais tout d'une star de cinéma des années cinquante, reprit-elle.

— Comme Madonna ?

— Non, pas du tout ! Comme les vedettes que mamie aimait quand elle était jeune fille.

Priant Dieu que son vieux pick-up soit d'humeur coopérative, elle poussa les petites dans l'escalier. Le ranch de Cal n'était pas trop loin, mais la vieille Ford avait de plus en plus de mal à avancer… Plutôt que la conduire au garage, Maggie préférait économiser pour s'acheter un jour une voiture d'occasion un peu moins usagée.

Comme la 4 x 4 Chevrolet de 1998, inutilement rutilante, qui était garée depuis quelque temps près du ranch des Loco… C'était la voiture de ses rêves. Elle était passée devant tous les jours de la semaine, au volant de son pick-up, dans un bruit assourdissant de ferraille et de pétarades, dans la crainte incessante qu'il rende l'âme au beau milieu de la route. Un de ces jours, se promit-elle, lorsqu'elle aurait vendu davantage de petites chaises de fer peintes en blanc, ou de ces auges rustiques qu'appréciaient tant les décorateurs de la côte Ouest, elle aurait assez d'argent pour acquérir une voiture à crédit.

— Mettez vos manteaux et n'oubliez pas de les boutonner, dit-elle à ses filles en regardant par la fenêtre de la cuisine.

De gros nuages gris s'amoncelaient dans le ciel. Pourvu que la neige attende la fin des festivités ! Le mariage était déjà, en soi, un sacerdoce. S'il fallait en plus essuyer une tempête de neige…

Maggie évita le garçon d'honneur du mieux qu'elle put, mais ne put l'empêcher de venir tout près d'elle lorsque le maire annonça que Calder et Lisette étaient mari et femme. Comme l'heureux homme prenait son épouse dans ses bras, Gabe dut s'écarter afin de laisser passer le grand-père de Cal qui se précipitait, en larmes, pour les féliciter. Gabe n'avait guère le choix : ou bien il s'approchait de Maggie, presque jusqu'à la toucher, ou bien il se retrouvait à l'intérieur de l'immense cheminée de pierre des Brown.

Maggie eût préféré cette dernière alternative, surtout quand Gabe lui adressa la parole. Elle avait cru qu'il s'éloignerait le plus vite possible. Ne se fuyaient-ils pas depuis quatre ans ?

— Eh bien, dit-il d'une voix traînante, tandis que les jeunes mariés étreignaient les membres de leurs familles respectives, je crois qu'ils seront très heureux ensemble.

— Espérons-le !

Ce fut tout ce qu'elle trouva à dire. Depuis l'âge de douze ans, le seul fait d'être à côté de Gabe la paralysait. Bah, maintenant qu'ils avaient tous deux trente-deux ans, une telle réaction n'était sans doute plus qu'une vieille habitude… Vieille et fort tenace : cela faisait quatre ans qu'elle ne s'était pas trouvée dans la même pièce que lui…

— Je suis heureux de n'avoir pas manqué leur coup de téléphone hier soir, poursuivit-il à voix basse.

Maggie lui lança un coup d'œil : juste le temps de remarquer qu'il était presque méconnaissable dans son costume sombre — avec son sourire et ses yeux bruns chaleureux, il était même plutôt craquant... Elle serra plus fort le bouquet de la mariée, et grimaça de douleur : une épine s'était enfoncée dans son pouce.

— Oui, repartit-elle, c'est merveilleux que tout se soit si bien arrangé au dernier moment. Lisette est vraiment adorable.

— Je suis sûr que vous êtes devenues amies...

— Oui.

Elle ne put en dire davantage, car les jeunes époux s'étaient tournés vers eux, et Maggie fut bientôt dans les bras de son amie. Puis, dès qu'elle lui eut offert les fleurs, ce fut Calder qui la pressa contre lui. Un grand sourire illuminait son visage, et il n'avait pas du tout l'air d'un jeune marié timide... Bien au contraire, il donnait l'impression de vouloir emmener sur-le-champ sa femme dans la chambre la plus proche, pour lui faire passionnément l'amour !

Lisette avait bien de la chance, se dit Maggie. Elle-même serait-elle capable de se souvenir de ce qu'était une nuit de passion ?

— Je vous ai prise par surprise, pas vrai ? lui dit Cal. Enfin ! Je suis ravi que vous n'ayez pas eu d'autres projets pour aujourd'hui...

— Lisette m'a expliqué que vous aviez résolu de ne pas perdre de temps, vous deux...

Le visage toujours éclairé d'un large sourire, il désigna son épouse, si mince et élégante dans une robe de velours vert émeraude que Maggie aurait trouvée trop étroite dès l'âge de dix ans.

— Je n'ai pas voulu lui laisser le temps de changer d'avis.

— Tu as toujours été le plus malin, assura Maggie. Si tu avais fait un ou deux devoirs quand tu étais à l'école, tu aurais été le premier de ta classe !

— J'ai laissé cet honneur à quelqu'un qui en avait vraiment envie. Et toi, ça va ?

— Je ne me suis jamais sentie mieux !

Après ce petit mensonge, la jeune femme ressentit soudain l'envie irrésistible de quitter le ranch de Cal le plus vite et le plus discrètement possible. Elle détestait tout ce qui pouvait lui rappeler Jeff, faire surgir dans son esprit le jeune homme plein de rêves ou le père, inquiet et aigri, de deux fillettes...

— Je ferais mieux de retrouver mes petites avant qu'elles ne provoquent une catastrophe... ajouta-t-elle.

— Ce sont de vraies diablesses ! reconnut Cal. Mais si mignonnes...

— Cal ! intervint Lisette d'un ton de reproche. Les filles de Maggie sont adorables et très bien élevées.

— Tes filles ont une bonne influence sur elles, Lisette, rétorqua Maggie en secouant la tête, mais Georgie et Lanie peuvent causer davantage de dégâts que Cal, Owen et Gabe réunis !

Lisette se mit à rire, cherchant les fillettes des yeux.

— Elles doivent être avec Mac, dit-elle.

— *Papy* Mac, corrigea Cal. Il tient beaucoup à ce titre.

— Je vais voir, fit Maggie, pressée de ne plus sentir à ses côtés la présence silencieuse de Gabe.

Elle tourna les talons, toujours pénétrée du parfum de son après-rasage — une senteur épicée qui évoquait pour elle des souvenirs de pique-niques...

— Encore une fois, mes félicitations, Cal, déclara Gabe comme elle s'éloignait. Tous mes vœux de bonheur, à tous les deux.

Il n'était pas d'un enthousiasme excessif, songea Maggie. Eh ! pourquoi le serait-il ? Il avait fait un aussi mauvais mariage qu'elle. Comme elle, il s'était efforcé de le sauver, et un terrible camouflet l'avait récompensé…

Elle retrouva ses filles autour d'une table couverte de desserts. Les petites se demandaient quelle pâtisserie engloutir en premier, tandis que le fils de Gabe se vantait de pouvoir avaler six éclairs d'un seul coup.

— Impossible ! dit Georgie, nullement impressionnée. Tu étoufferais !

— Pas du tout ! s'offusqua Joe. Madame Moore, hasarda-t-il en se tournant vers Maggie, pouvons-nous commencer à manger ?

— Pas encore. Il faut attendre que les mariés donnent le signal.

Le petit garçon fit la grimace.

— Oh, zut ! Ces machins au chocolat ont l'air super !

— C'est vrai, dit Maggie, l'œil rivé sur les douceurs étalées à profusion sur des plats aux socles de cristal.

Lisette avait fort bien approvisionné ses propres noces !

— Mme, heu… Brown est une excellente pâtissière, mais je ne crois pas qu'il faille pour autant essayer d'avaler six éclairs à la fois !

— Il vomira tout sur le tapis ! railla Georgie.

— M'étonnerait ! grogna Joe, troublé tout de même par les prédictions de Georgie.

— Prouve-le ! s'écria la gamine. Tu n'oserais même pas !

— Georgie, cela suffit ! Qu'est-ce que c'est que ces manières ? se fâcha Maggie en posant la main sur l'épaule de son aînée.

— Il y a un problème ? s'enquit Gabe.

— Ton fils est un peu débordé, c'est tout, plaisanta Maggie. Seul contre six filles, tu penses !

— Cela ne me dit rien de bon, dit-il en posant la main sur la tête de son fils. Il vaut peut-être mieux qu'il reste avec son père pendant quelque temps.

— Tu as vu ce gâteau ? s'enthousiasma Joe en pointant du doigt une pièce montée entourée de clôtures en plastique et d'une foule de chevaux et de cow-boys multicolores. Il est vraiment trop !

Maggie se mit à rire.

— Lisette prétend que Mac le lui a commandé pour l'obliger à venir voir Cal. Il lui a dit qu'il donnait une réception.

— Finalement, c'est bien ce qu'il a fait ! dit Gabe.

Maggie oubliait qu'elle-même et Gabe avaient cessé d'être amis. Il était brusquement si facile de se tourner vers lui et de lui sourire. De partager le bonheur de deux êtres qui venaient de s'unir pour le meilleur et pour le pire…

Gabe amorça un sourire… Las, son visage s'assombrit aussitôt.

— Je leur souhaite plus de chance que nous n'en avons eu…

— Je suis désolée, murmura-t-elle, incapable de détacher son regard du sien — comme il avait l'air fatigué, se dit-elle, si triste… et si beau ! — Je ne savais pas que…

— Non, tu ne savais pas, coupa-t-il. Mais moi, si. Du moins, je soupçonnais quelque chose…

Il marmonna un juron puis, en embrassant les enfants du regard :

— Tu crois que nous pourrions oublier tout cela ?
— Non… C'est encore trop douloureux.
— Tu as raison, Maggie. Mais nous pourrions faire semblant !

2.

— Après, c'est le tour de Maggie ! affirma Calder en versant de nouveau un doigt de scotch dans le verre de Gabe.

— Ah bon ? s'étonna ce dernier.

Il parcourut le vaste salon d'un regard circulaire, et vit une foule de cow-boys et d'employés du ranch, accompagnés de leurs amis ; mais de Maggie, point, il en était sûr : avec son ensemble rouge, il l'aurait vite repérée, même si elle se dissimulait…

— De quoi parles-tu, au fait ?

— De la liste des marieuses, répondit Cal. C'est son tour… Et le tien aussi, évidemment ! ajouta-t-il avec un large sourire, comme si rien ne pouvait l'amuser davantage que voir souffrir son garçon d'honneur.

— Le festival est terminé, marmonna Gabe. Je croyais que nous en avions déjà parlé. Nous jouissons d'un an de répit, à présent.

— Ce n'est pas ce que j'ai entendu dire, riposta Cal avant d'avaler une gorgée de scotch. Ella vient à l'instant d'annoncer à mon grand-père qu'elle avait encore un petit travail à faire. Une requête un peu particulière…

— En quoi cela peut-il concerner Maggie ?

Adossés au manteau de la cheminée, les deux hommes embrassaient du regard le salon tout entier. Rayonnante de bonheur, Lisette distribuait des gâteaux à un groupe d'enfants surexcités. Maggie avait rejoint la mariée à la grande table et remplissait de lait des gobelets en carton.

— Je te l'ai dit, c'est la suivante sur la liste.

— Maggie n'a pas envie de se marier.

— Qu'en sais-tu ?

Gabe haussa les épaules.

— Je n'ai jamais entendu dire qu'elle sortait avec quelqu'un…

Si cela avait été, tout le monde l'aurait su dans la petite bourgade. Surtout pendant le festival.

— Elle pourrait obtenir la main de n'importe quel homme du canton, assura Cal. Avec le visage et le corps qu'elle a, c'est incroyable que personne ne lui ait jamais fait de propositions — même si elle ne sort jamais ! Il est vrai qu'elle passe son temps à trimballer tout un bric-à-brac…

— Je suppose qu'elle gagne correctement sa vie avec ça, fit remarquer Gabe, d'un ton peu convaincu.

Il se demandait comment le vieux pick-up de Maggie pouvait encore rouler. Quant à sa boutique, les clients ne semblaient guère s'y presser. Certes, la jeune femme recevait, selon la rumeur publique, quelques commandes par courrier…

— Tout de même, dit Calder, la solitude doit commencer à lui peser. Et toi ?

— Et moi, quoi ?

— Tu vis seul depuis aussi longtemps que Maggie. Tu n'as jamais désiré un peu de compagnie ?

— Avec Maggie ?

— Grands dieux, non ! C'est une sœur pour toi, comme pour moi et Owen. Je voulais simplement dire que tu avais peut-être de temps en temps la nostalgie d'un foyer, d'un lit réchauffé par une femme…

— Aurais-tu rejoint le groupe des marieuses ? Cela ne fait pas deux heures que tu as la corde au cou, et tu veux déjà m'accueillir dans ton club !

— Et celui d'Owen. Il est au septième ciel avec sa rouquine…

— A propos d'Owen, pourquoi n'est-il pas là ? s'enquit Gabe, heureux de pouvoir changer de sujet.

— Suzanne et lui n'ont pas dormi de la nuit à cause du bébé ; il avait une rage de dent. Quand il m'a téléphoné, je lui ai conseillé de prendre un peu de repos. Quel soulagement pour Owen ! Désormais, il n'est plus seul pour élever l'enfant. Et puis ils pourront se relayer la nuit quand le bébé pleurera.

— Cela me rappelle des souvenirs…

Chaque fois que Katie avait pleuré la nuit, sa femme Carole en avait fait autant. Oh, elle avait fait son possible pour s'adapter au ranch et à la vie de famille. Mais, aussitôt après la naissance de Joe, elle avait décrété qu'elle ne voulait pas laisser son intelligence en friche, et qu'elle retournait à l'université. Drôle de façon de jouer son rôle de mère, avait alors pensé Gabe…

— A ton avis, pourquoi les marieuses portent-elles ces chapeaux bizarres ?

— Ce sont peut-être des trophées de guerre, ironisa Gabe en sirotant une bonne gorgée de whisky. Sans doute veulent-elles célébrer le succès qu'elles ont remporté avec toi, mon vieux Cal…

— Ça m'étonnerait ! Je ne les avais jamais vues chapeautées ainsi de plumes et de fleurs. Crois-tu qu'elles sont devenues folles ? Mac va être bien déçu si Ella n'est plus assez saine d'esprit pour se disputer avec lui !

Justement, le grand-père de Cal était en grande conversation avec Ella, qui avait vêtu de bleu son grand corps mince et orné le sommet de son crâne d'une sorte de cage à oiseaux fort affectée par les injures du temps.

— Tu ne vas tout de même pas me dire que Mac s'intéresse à Ella !

— J'espère bien que non ! se récria Cal. Mais Mac sortait avec elle quand ils étaient jeunes — il dit qu'il lui faisait la cour…

— Elle me fait peur. Elles me font peur toutes les quatre, avec leurs chapeaux dingues, et leurs regards qui ne cessent d'évaluer chacun et chacune. Pauvre Maggie ! Si seulement elles pouvaient la laisser tranquille !

— Elle méritait bien mieux qu'un mufle comme Jeff Moore… C'est vraiment scandaleux que ce soit elle qui en ait fait les frais. Tu en as déjà parlé avec elle ?

— Non.

Que pourrait-il dire à la femme dont le mari avait eu une liaison avec la sienne, une liaison qu'ils n'avaient découverte que le jour où les deux amants s'étaient tués dans un accident de voiture, au retour d'un motel ?

— J'avais oublié qu'elle était jolie à ce point…

Oui, Gabe était sensible à la volupté qui émanait d'elle. Il ne voulut point arrêter son regard sur sa poitrine — qu'il faudrait être aveugle pour ne pas remarquer. Mais, à eux seuls, ses cheveux blonds, ses yeux bleus et son sourire irrésistible faisaient aisément oublier la ferme presque délabrée où elle demeurait, et sa grange pleine de vieilleries qu'elle qualifiait d'antiquités.

— Pour sûr ! Les marieuses vont jouer sur du velours avec elle, fit Cal. A la santé du futur époux !

— A qui penses-tu ?

— A personne, O'Connor, repartit Cal avec bonhomie. Pourquoi as-tu l'air si inquiet ?

Il y avait pourtant de quoi s'inquiéter, songea Gabe. Ne devait-il pas prévenir Maggie qu'elle était la prochaine cible des marieuses ? Il avait toujours eu un petit faible pour elle, lorsqu'elle s'appelait Maggie Johnson et qu'ils étaient voisins. Il l'avait asticotée à l'école primaire, ignorée au collège, et beaucoup trop taquinée au lycée. Il l'aurait volontiers invitée à sortir avec lui s'il n'avait pas craint qu'elle lui rie au nez…

Non, cela ne le concernait pas de savoir avec qui Maggie pourrait un jour sortir — ou dormir… Ni qui elle pourrait épouser. Elle n'apprécierait pas qu'il interfère ainsi avec sa vie privée, trancha-t-il, tandis que Grace Whitlow engageait la conversation avec Cal.

Il tendit l'oreille, au cas où la vieille dame — la tête ornée de rubans roses et de fleurs blanches — mentionnerait Maggie. En vain : elle se contenta de remercier Cal avec ferveur pour le don qu'il avait fait à l'église, dont le toit avait grand besoin de réparations. Non content de se marier, Cal était aussi devenu philanthrope ! pensa Gabe en allant voir si ses enfants se tenaient convenablement — et surtout si Joe ne faisait pas trop le malin devant les filles. De toute façon, il avait sans doute déjà assez mangé pour être malade pendant le retour en voiture… Il était temps de rentrer à la maison avant que lui-même ou son fils ne fasse quelque bêtise !

— Je ne me souviens pas de t'avoir demandé ton avis, dit Ella, qui de toute évidence s'amusait follement.

Grace avait eu raison, pensa-t-elle. Les chapeaux étaient les alliés du mystère et de la séduction… De plus, elle aimait le contact sur sa joue du tissu de tulle bleu marine. Pourquoi diable les femmes ne voulaient-elles plus porter de chapeaux ?

— Je m'en vais te le donner, que tu le veuilles ou non ! grommela Mac, dont le visage se congestionnait de plus en plus. Sache que…

— Je sais ! Que tu es têtu comme une mule !

Et charmant, en prime, avec cette lueur maligne dans son regard sombre. Les Brown avaient toujours été des tombeurs.

— Et que tu n'as rien d'un marieur ! poursuivit Ella.

Mac désigna le marié, qui paraissait très heureux en compagnie de sa jeune épouse, près de la cheminée.

— Je ne m'en suis pas mal tiré avec ces deux-là ! objecta-t-il.

— Parce que nous t'avons aidé ! Nous t'avons *énormément* aidé.

— Ce qui ne veut pas dire que vous aurez autant de chance avec Maggie !

Le vieil homme prit une bouteille de cognac sur la table à thé et remplit le verre d'Ella et le sien.

— C'est un cas à part…

— Tout à fait d'accord, fit Ella. Normalement, je n'aurais pas accepté un tel défi si près de Noël, mais Georgianna m'a suppliée…

Et Ella ne *pouvait* pas résister à une requête sincère — sauf bien entendu si elle émanait de sa sœur. Lou l'accablait de doléances à longueur de journée — du moins le devinait-elle : elle ne l'écoutait presque jamais.

— La petite veut un père, je suppose. Qui a-t-elle choisi ?

— Elle n'a désigné personne, toutefois…

— Eh bien, tu ne crois pas que tu devrais le lui demander ? l'interrompit Mac en fronçant les sourcils, comme s'il s'adressait à une débutante.

Ella lui décocha un regard qui aurait glacé n'importe qui — or Mac Brown était d'une autre trempe… ou trop vieux pour se laisser intimider par un regard, si terrible fût-il. Puis elle se retourna, cherchant la fillette des yeux. Georgianna était à l'autre bout du salon, très occupée à essuyer ses doigts pleins de chocolat avec une serviette. Ella lui fit signe de s'approcher.

— Oui, m'dame ? dit la petite, un peu essoufflée d'avoir traversé la pièce à la vitesse de l'éclair.

Levant les yeux vers Mac, elle soupira. Manifestement, elle le trouvait trop vieux. Heureusement, Mac fut loin de soupçonner que l'adorable enfant ne le jugeait pas à son goût !

— J'ai besoin de quelques renseignements avant de te chercher un papa, dit Ella.

— Quoi donc ?

— Est-ce que ta mère, hum… a vu quelqu'un ces derniers temps ?

— Oh non ! répondit la gamine en secouant la tête.

— Tu es sûre ?

— Elle travaille tout le temps. Tu sais, comme chez toi, dans ton grenier.

— Oui, approuva Ella, elle travaille très dur.

— Lanie et moi, on veut un papa. Notre papa est mort il y a longtemps, quand Lanie était petite. Elle ne s'en souvient pas, mais moi, si.

— Eh bien, c'est une bonne chose !

Ella espéra qu'il s'agissait de bons souvenirs. Personne n'avait jamais bien compris pourquoi ce mufle de Jeffrey, juste après ses études à l'université, avait épousé Maggie Johnson. La seule raison apparente, c'était que Maggie avait pris soin du père de Jeff pendant sa maladie. Ce jeune homme était un citadin qui n'avait jamais envisagé de passer sa vie à Bliss, alors que Maggie était une fille de la campagne, pleine de joie, et le cœur sur la main… Quel dommage qu'ils n'aient pas consulté Ella !

— J'aime ton chapeau ! déclara la fillette, faisant voler ses mèches dorées. Il est vieux ?

— Ma foi, oui ! confirma Ella en portant la main sur le petit oiseau jaune en équilibre sur le rebord bleu marine. Je crois qu'il appartenait à ma tante. Ma mère n'a jamais beaucoup aimé les chapeaux.

— Ma maman, elle, elle aime les vieux trucs. Pas toi ? demanda-t-elle à Mac.

— Bien sûr que si ! repartit-il en lançant à Ella un clin d'œil appuyé qui l'aurait fait rougir si elle avait eu quelques années de moins.

— As-tu une idée du genre de papa que tu veux ?

— Oh, je *sais* très bien ! Je veux un papa qui vit dans un ranch. Avec des chevaux. Il a des enfants — un garçon et une fille — et il fait vraiment de la bonne cuisine, surtout des crêpes. Et du bacon. Et il a les cheveux bruns et un pick-up rouge tout neuf qui ne fait pas de bruit.

— Seigneur ! s'écria Ella.

Où dénicher cet oiseau rare ? La vieille dame crut bon d'avancer :

— Tu sais, Georgianna, on n'a pas toujours ce qu'on veut, dans la vie. Quelquefois, il est nécessaire de, hum… faire des compromis.

Ella voulut expliquer le mot compromis, mais Mac ne lui en laissa pas le temps.

— Eh bien, dit-il à l'enfant en affectant un air sévère, tu sais déjà qui tu veux, on dirait ! Je veux dire, tu as l'air d'avoir quelqu'un de précis en tête !

— Oui, avoua la petite en agitant derechef ses mèches blondes. Il est toujours très gentil quand il rend visite à notre classe, et Joe dit qu'il ne se met presque jamais en colère.

— Qui ça, *il* ? fit Ella en parcourant la foule de gens en habit de gala qui se pressaient joyeusement dans le salon.

— Là ! claironna la petite fille en pointant l'index vers l'autre extrémité de la pièce.

— Calder ? Mais, ma chérie, il n'a pas d'enfants, et je ne crois pas que…

Mac s'éclaircit la gorge.

— Hum… Elle ne veut pas dire Cal !

Georgianna eut un petit rire.

— Pas Cal ! Il est cool, mais il va être le père de Cosie et d'Amie, pas le mien !

— Alors, qui ?… Oh, mon Dieu ! Gabe ?

— Ouais. M. O'Connor.

Quelle tristesse de décevoir une enfant si précoce, et pleine d'une innocente imagination ! songea Ella.

— Ce n'est pas possible, dit la vieille dame, qui s'exprimait toujours de façon très directe.

— Pourquoi ?

— Parce que…

Ella hésita. Il était difficile de répondre sans révéler le scandale qui impliquait Jeff…

— Parce qu'il ne veut pas se marier, dit-elle enfin.

— Comment le sais-tu ?

— Eh bien…

— Je pourrais le lui demander, proposa Mac.

— O.K. ! s'enthousiasma Georgianna.

Mac se dirigea vers Gabe, qui semblait las et prêt à partir.

— Je présume que ta mère ne sait pas ce que tu m'as demandé, dit Ella, le regard plongé dans les yeux candides de la petite.

— C'est un secret !

— Evidemment ! approuva la vieille dame en parcourant le salon des yeux.

Maggie était particulièrement rayonnante ce jour-là, dans cet ensemble rouge digne d'une Mère Noël… Dommage qu'il y eût si peu d'hommes libres pour l'admirer !

— Je vais faire de mon mieux, ma chérie, continua-t-elle, mais l'hiver, c'est la plus mauvaise saison pour réunir des gens qui voudront bien se marier ensuite !

— Maman dit qu'elle s'est mariée en hiver !

— Ah bon ?

— Elle dit même qu'il gelait à pierre fendre !

La gamine frissonna, comme pour illustrer son propos.

— Ma grand-mère dit toujours que Bliss, l'hiver, ça lui déclenche une arthrite d'enfer !

— Je vois ce que tu veux dire.

Georgianna Moore sourit, découvrant une rangée de dents parfaites entre ses deux fossettes.

— Ouais, dit-elle en fixant de gros flocons qui s'écrasaient sur la fenêtre, il gèle à pierre fendre, et je vais me trouver un papa !

— Non, mademoiselle Louisa, je n'ai vraiment jamais pensé à me remarier, répéta Maggie le plus poliment qu'elle put. Grace Whitlow et Missy Perkins m'ont déjà posé la même question !

— Allons, ma petite Maggie, ne fronce pas les sourcils ainsi ! conseilla Louisa en prenant la jeune femme par le bras. Cela te plisse le visage, et je gage que tu n'as pas envie d'avoir des rides à ton âge ! T'ai-je dit à quel point tu étais mignonne en rouge ?

— Oui, et merci encore.

Maggie s'interrogea : un pas de côté, qui lui ferait bousculer légèrement Lisette, pourrait-il la sauver ? Louisa était une vieille dame aussi gentille que rondelette, mais Maggie ne pensait plus qu'à une chose : éviter que les marieuses s'occupent d'elle ! Elle se déplaça donc sur le côté... et s'aperçut que Lisette avait disparu !

— Quelle bonne idée vous avez eue de porter ces magnifiques chapeaux ! dit-elle.

— Ella s'est fait tirer l'oreille, mais, lorsqu'elle s'est vue dans le miroir avec le chapeau bleu, elle a complètement changé d'avis. Et maintenant, elle laisse entendre que c'est elle qui a eu cette idée ! Il faut dire qu'elle a de nouveau un galant, ajouta Louisa en désignant sa sœur, laquelle était en grande conversation avec Mme Whitlow et Georgianna.

— De nouveau ?

— Il y a bien des années, du temps de notre jeunesse...

Louisa s'interrompit avec un petit rire.

— Oh, vous ne pouvez certainement pas vous imaginer que nous avons pu être jeunes, nous aussi ! Et pourtant... nous comptions parmi les beautés les plus remarquées de la ville !

A ces mots, les hibiscus de soie fuchsia qui ornaient son chapeau se mirent à frémir...

— ... eh bien, à cette époque, Mac s'était mis à courtiser Ella !

— Pas possible ! s'exclama Maggie, avant d'accepter une nouvelle coupe de champagne.

— Mon père — Dieu ait son âme — pensait que personne n'était assez bon pour ses filles, soupira Louisa. Et en ce temps-là, les filles obéissaient à leur père. Enfin, pour la plupart...

— Ah ! C'est donc pour cela que vous ne vous êtes jamais mariées, vous et votre sœur !

Maggie vit Mac tendre à Ella un verre de whisky, tandis que Cal les rejoignait. Georgianna avait l'air de s'amuser follement au milieu de tous ces adultes… C'était si agréable d'être au centre de tous les regards ! Le fils de Gabe offrit à la petite fille une assiette débordante de gâteaux. Soudain, Maggie se rendit compte qu'elle n'écoutait plus Louisa.

— … rattraper le temps perdu ! disait la vieille dame. Il m'aime beaucoup, et nous passons certainement des moments très agréables ensemble. Ella n'a pas l'air d'approuver, mais comme je le lui ai dit, il est temps d'avoir une vie sexuelle à nos âges, vous ne croyez pas ?

— Absolument !

Maggie but une gorgée de champagne, se demandant avec inquiétude si Georgie n'essayait pas d'ingurgiter davantage de gâteaux que Joe. Dans ce cas, mieux valait ne pas voir cela… Elle se tourna donc vers Louisa. Mais au fait, cette dame de quatre-vingt-trois ans ne venait-elle pas de parler de vie sexuelle ?

— Vous devriez vous trouver un homme, vous aussi, ma petite Maggie. Nous ferons tout pour vous aider ! Je suis sûre que vos filles adoreraient avoir un papa.

Elle se pencha vers son oreille et, à voix basse :

— Vous devriez profiter de votre jeunesse, si vous voyez ce que je veux dire…

— Je vais y penser, répliqua Maggie.

Il était vrai qu'elle ne profitait guère de sa jeunesse. Mais elle ne voulait pas d'un second mari — surtout s'il ressemblait au premier. Sans sourciller, Jeffrey avait brisé son cœur en mille morceaux…

— Proposez-nous quelques noms et nous ferons de notre mieux, promit la vieille dame avant que quelqu'un d'autre accapare son attention.

Poussant un soupir de soulagement, Maggie chercha Lanie des yeux. La dernière fois qu'elle l'avait aperçue, la petite jouait avec l'aînée de Lisette.

— Elles s'amusent bien ensemble, dit cette dernière, comme si elle avait lu dans les pensées de Maggie. Je les ai installées dans l'une des chambres avec les poupées de Cosie, et la télé qui passe des dessins animés. Tout ce bruit commençait à les fatiguer.

— La journée a été plutôt mouvementée pour tout le monde, fit remarquer Maggie. Tu ne la trouves pas trop longue ?

— Au contraire, j'en savoure chaque seconde ! A mon avis, tout le monde devrait se marier.

— Très peu pour moi, merci ! protesta Maggie en haussant les épaules.

— Le bruit court que les marieuses vont exercer leurs talents sur toi, poursuivit Lisette avec un grand sourire. Dois-je te lancer le bouquet de la mariée ?

— Vise plutôt Ella ou Louisa ! suggéra Maggie. Elles seront aux anges !

— Gabe O'Connor est très bel homme, murmura Lisette en portant le regard sur ce dernier, qui devisait avec Cal. Pourquoi pas lui ?

— Que veux-tu dire ?

— Ne fais pas l'innocente. Pourquoi pas toi et Gabe ?

Maggie leva les yeux au ciel. Les gens étaient-ils devenus fous ? Le festival était bel et bien achevé — et Noël tout proche — mais cela ne les empêchait pas de tramer une conspiration pour la caser ! Elle se jura de ne plus jamais assister à un mariage…

— Louisa vient de me dire que je ne profitais pas de ma jeunesse, et toi, tu essayes de me mettre en relation avec Gabe ! Sache que je suis beaucoup trop occupée avec mon travail et mes enfants pour songer à ce genre de chose !

— Tu n'es pas obligée de te marier, insista Lisette, tandis que Gabe et Calder traversaient la salle dans la direction des deux jeunes femmes. Pourquoi ne passerais-tu pas un week-end avec lui ? Il a l'air si gentil… Et puis, il est *réellement* beau !

Les week-ends romantiques ne faisaient pas plus partie de sa vie que les gâteaux réussis, pensa Maggie…

— Georgie m'a conseillé d'apprendre à cuisiner, dit-elle, soucieuse de changer de sujet avant que les deux hommes ne les rejoignent.

— Je devrais peut-être donner des cours à la pâtisserie, fit Lisette. Que voudrais-tu apprendre particulièrement ?

— La mécanique ! Je dois changer ma courroie de transmission…

3.

— Il va falloir penser à quelqu'un d'autre pour Maggie, c'est évident ! marmonna Ella.

Mac n'eut pas l'air très intéressé par ces propos.

— Hum, on pourra toujours y penser plus tard… Pour l'instant, si nous allions danser ? proposa-t-il.

— Danser ? Mais où ? se récria la vieille dame.

Elle considéra le salon — un endroit charmant, à condition d'aimer le style rustique. Mais certainement pas conçu pour qu'on y danse le fox-trot !

— Tu vas voir. C'est une surprise !

Mac fit signe à son petit-fils de le rejoindre. Cal prit son épouse par le bras et lui fit traverser la pièce. Il n'avait jamais eu l'air si heureux, et Ella décida que le mérite lui en revenait pour la plus grande part.

— Mac, que se passe-t-il ? demanda le jeune marié.

— Il n'y a pas de mariage sans musique ! déclara le vieil homme.

Puis, s'adressant à l'ensemble des convives, il clama d'une voix forte qui fit taire le murmure des conversations :

— Les amis, si vous voulez bien me suivre, nous pourrons passer à l'étape suivante.

Donnant le bras à Ella, il conduisit les invités dans un corridor débouchant sur une grande porte de bois.

— Allons-y, les gars ! annonça Mac en ouvrant la porte, découvrant ainsi une grande pièce rectangulaire vide… à l'exception d'un orchestre devant le mur du fond. Aussitôt retentirent les accents enlevés d'une musique « country et western » et, avant qu'Ella ait pu se rendre compte de ce qui lui arrivait, Mac l'entraîna dans un vigoureux pas de deux.

— Mais où sommes-nous donc ? s'enquit-elle.

— Dans l'ancienne cuisine. Les garçons l'ont nettoyée et décorée hier avec ce qui nous restait de la fête nationale. Je ne pense pas que quiconque s'en offusquera, ajouta-t-il en désignant de la tête les banderoles patriotiques suspendues aux poutres du plafond.

— Quelle merveilleuse idée ! haleta-t-elle, se demandant tout de même s'ils allaient soutenir longtemps un rythme aussi endiablé.

— Disons que je n'ai pas pensé qu'au mariage. Je voulais surtout danser avec toi… murmura Mac en la serrant de plus près.

De trop près, pensa Ella. Ce n'était pas parce que sa sœur se comportait ces jours-ci telle une chatte en chaleur qu'elle-même allait céder au vertige des sens. Elle avait passé l'âge de telles folies, dût-elle reconnaître qu'elle n'avait jamais dansé si près du corps d'un mâle. Et que ce vieux diable de Mac avait tout l'air d'apprécier…

Décidément, elle ne savait pas très bien quelle attitude adopter avec cet homme !

Certes, il n'était pas question de se dérober, sous peine de manquer à la plus élémentaire politesse, se dit Gabe en s'approchant de Maggie. Le garçon d'honneur se devait de danser avec la dame d'honneur. Mac et Cal avaient dû travailler la moitié de la nuit pour transformer l'ancienne cuisine en dancing, et déjà les mariés étaient en piste, entourés de plusieurs autres couples. Il était grand temps de les rejoindre.

— Maggie ?

La jeune femme contemplait une antique armoire adossée à la cloison de rondins, et Kate se trouvait à côté d'elle — à voir sa mine réjouie, ce n'était pas la peine de lui demander si elle s'amusait bien. Maggie passa lentement le doigt sur le bois craquelé. Jamais Gabe n'avait vu de meuble aussi ancien.

— Elle est magnifique, pas vrai ? s'exclama-t-elle. Je disais à Kate que l'on ne voit plus beaucoup de telles armoires de nos jours. Lisette connaît-elle son existence ? Je pense qu'elle l'aurait…

La jeune femme s'interrompit. Gabe venait de la prendre par la main.

— Excuse-nous, Katie, dit-il à sa fille, mais c'est l'heure pour le garçon d'honneur de danser avec la dame d'honneur.

La main de Maggie était douce, ses doigts fins et étrangement sensuels…

— Amuse-toi bien, papa ! fit Kate d'un ton légèrement moqueur, comme si la seule idée de voir danser son père suffisait à l'égayer.

Maggie était loin de partager cette bonne humeur.

— Tu n'es pas du tout obligé de…

— Trop tard ! coupa Gabe.

Il la poussa sur la piste et passa un bras autour de sa taille.

— Je me demande si je vais encore savoir danser la valse, dit-il.

— Moi aussi. Cela fait bien longtemps que…

De nouveau, Maggie n'acheva pas sa phrase. Tous deux savaient parfaitement à quoi elle faisait allusion. Par ailleurs, la jeune femme se sentait bien. Trop bien. Elle devait se donner beaucoup de mal pour ne pas oublier qu'elle connaissait son cavalier depuis l'âge de six ans — depuis ce jour où elle lui avait donné son sandwich à la crème de cacahuète dans le bus qui les ramenait de l'école…

— De quoi parlais-tu avec Kate, Maggie ?

— Des auges que je peins, et des colis que je dois faire ensuite pour les expédier. J'ai besoin d'aide, et la petite m'a dit qu'elle avait envie de travailler après l'école pour gagner un peu d'argent.

— Elle veut *travailler* ?

Gabe ne chercha pas à masquer son étonnement. Kate passait de plus en plus de temps dans sa chambre au lieu de suivre son père à travers le ranch…

— Elle a peut-être envie de dépenser de l'argent pour Noël, suggéra Maggie en replaçant sa main sur l'épaule de son cavalier. Nous nous sommes aperçues que, toutes les deux, nous adorions les antiquités. Elle dit que son lit est l'objet qu'elle préfère dans sa chambre, car il y a des roses sur son armature en fer.

— De très vieilles roses taillées dans du métal, précisa Gabe d'un air absent.

Sa cavalière se sentait-elle aussi mal à l'aise que lui ? Et aussi excitée ? Pourvu que l'orchestre n'ait pas, par hasard, décidé de jouer ce damné morceau toute la soirée…

— Elle refuse que je lui en achète un neuf ! reprit-il.

— Je la comprends. L'ancien lit grince d'une façon adorable, dit-elle d'un ton tout à fait sérieux.

— *Adorable* ? Il est plus vieux que ma grand-mère !

Gabe vit alors dans les yeux bleus de la jeune femme que celle-ci se moquait de lui. Sapristi, il avait oublié à quel point elle était belle ! Et qu'elle avait une poitrine à faire tomber à genoux bien des hommes — à commencer, à n'en pas douter, par tous les honnêtes travailleurs des ranchs environnants…

— Tu sembles ignorer que la ferronnerie revient à la mode ! dit-elle.

— J'avoue que j'ai un peu négligé mes magazines de décoration, ces derniers temps.

— Je peux t'en prêter quelques-uns.

Il lui serra discrètement la taille.

— Pourquoi peins-tu des vieilles auges ?

— Les gens adorent ça. Sincèrement, j'ai besoin d'aide, insista-t-elle en plongeant ses beaux grands yeux dans les siens.

— D'accord. Cela fera le plus grand bien à Kate. Elle est parfois d'humeur chagrine, ces jours-ci.

— C'est de son âge.

— Ne m'en parle pas ! Je préfère m'imaginer qu'elle a toujours six ans…

— Oui, c'est plus facile pour vous, les hommes, de nier le temps qui passe…

La réplique de Maggie parvint à faire sourire son cavalier — juste au moment où le morceau s'achevait enfin. Lisette et Cal, pour leur part, paraissaient aux anges.

— Je n'aurais jamais cru que l'on pouvait s'amuser autant en se mariant, lança Cal. C'est mon tour, ajouta-t-il en s'écartant de son épouse pour prendre la main de Maggie. Nous n'avons pas dansé ensemble depuis le bal du lycée !

Maggie se tourna vers Lisette.

— C'est la première et la dernière fois que nous sommes sortis ensemble. Mon petit ami s'était excusé à la dernière minute, et l'amie de Calder, qui s'appelait Linda, je crois, eh bien… Eh bien, lorsque son père s'était aperçu qu'elle allait sortir avec Cal, il avait piqué une de ces colères !

Soulagé de pouvoir changer de cavalière, Gabe s'apprêtait à inviter Lisette, mais Mac fut plus rapide que lui :

— Cette danse est pour moi, ma chérie.

Et Gabe se retrouva soudain en tête à tête avec Ella Bliss…

— M'accorderez-vous ce pas de deux, mademoiselle Bliss ? offrit-il dans un large sourire — manifestement forcé.

— Je pense que oui, Gabe, mais je préférerais que vous n'alliez pas trop vite, repartit la vieille dame après quelques instants de réflexions.

Elle posa une main sur son épaule ; Gabe lui prit délicatement l'autre main.

— Ne vous figurez pas que je ne vous voie pas venir ! gronda-t-elle. Et je dois vous dire que vous n'avez pas mon approbation.

— Je vous demande pardon ?

— Sa petite fille a peut-être des étoiles dans les yeux, mais je ne crois pas qu'un tel rapprochement serait sain, et je ne le favoriserai pas.

— Oui, m'dame, répondit distraitement Gabe.

Il commençait à avoir mal à la tête, et avait envie d'une bonne tasse de café. Décidément, il supportait de moins en moins l'alcool…

— Lyle Lundberg vient de se faire construire une grande maison dans les faubourgs de la ville, poursuivit Ella, et il paraît qu'il désire fonder un foyer.

— Mademoiselle Bliss, de quoi parlez-vous donc ?

— Ne faites pas l'innocent ! Je suis sûre que Calder vous a déjà prévenu que nous allons nous efforcer de trouver un bon parti pour Maggie. Mac lui dit tout ce qu'il sait. Le vieux bougre n'a jamais su tenir sa langue.

— Oui, m'dame.

Cela ne le concernait pas, se rappela-t-il. Oui, si Maggie épousait Lundberg et donnait naissance à une armée de futurs pharmaciens, cela ne le concernerait d'aucune façon.

Ella enfonça le clou :

— Cela ne vous mènera à rien de flirter avec elle !

— Je ne flirtais pas ! Je…

— Vous êtes le plus grand flirteur de la ville ! Oh, vous ne faites pas la noce comme Calder, mais vous avez un sourire enjôleur… Sans parler de votre ranch, qui est très rentable. Toutes les femmes libres du comté prient pour que vous les remarquiez… Or vous ne sortez jamais plus de deux fois avec qui que ce soit…

— Ce n'est pas un délit, que je sache !

A la vérité, il jugeait sa conduite on ne pouvait plus honnête. Il ne voulait entretenir de *relation* avec personne. Il désirait seulement une compagnie féminine de temps en temps.

— Je ne flirtais pas, répéta-t-il. Et je ne cherche pas à me remarier.

— Eh bien, admit Ella, je suppose que c'est normal, après ce que votre femme vous a fait.

— Et Maggie, vous pensez qu'elle a *envie* de convoler une seconde fois ?

Le visage d'Ella se radoucit.

— Pourquoi pas ? Vous savez, vivre seule dans une vieille ferme délabrée, et tenter de joindre les deux bouts en nettoyant les greniers… ce n'est pas une vie pour une mère de deux enfants ! Elle mérite mieux, surtout après avoir été l'épouse de Jeffrey.

Gabe ne l'aurait jamais crue dans une situation financière aussi précaire, même s'il s'était souvent demandé comment son pick-up pouvait encore avancer.

— Vous avez sans doute raison. Cependant, Maggie pourrait trouver mieux que Lundberg…

— Il y a le Dr McGregor. Il est certes un petit peu plus âgé qu'elle…

— D'au moins quinze ans !

— Peut-être, mais au moins il est financièrement à l'aise, et il ferait un bon père pour les deux filles.

… S'il ne boit pas comme un trou et ne prend pas comme maîtresse une danseuse orientale, songea Gabe, qui s'abstint néanmoins de tout commentaire.

— Il y a aussi le nouveau vétérinaire. Louisa a toujours été allergique aux animaux, mais Missy soutient qu'il est très gentil avec son petit chien, cette petite boule de poils au nez plat qui aboie tout le temps. Une race étrangère, je ne me souviens pas…

— Un pékinois ?

— C'est cela. Attention, Mac se dirige vers nous, et il n'a pas le sens des distances !

Gabe fit un écart, évitant la collision de justesse.

— Le vétérinaire est un peu jeune, observa-t-il.

— Elle fera son éducation.

Ella considéra un instant Maggie et Calder qui tournoyaient avec art sur la piste. Puis elle fronça les sourcils.

— Vous êtes sûr que vous n'avez pas de vues sur elle ?

— Mademoiselle Ella, il faudrait vraiment que je sois à moitié mort et ligoté comme une dinde de Noël pour que j'accepte d'aimer, de chérir et d'honorer de nouveau une femme !

— C'est vrai que vous n'aviez pas tiré le bon numéro ! reconnut la vieille dame. Elle et Jeffrey allaient très bien ensemble… Mais ne disons pas de mal des morts !

Pas devant les gosses, en tout cas, se dit Gabe. Si Carole n'avait pas été la mère la plus dévouée du Montana, les enfants l'avaient aimée… Lui aussi avait cru l'aimer — pendant quelque temps…

Quand le morceau s'acheva dans un concert de guitares, Gabe poussa Ella Bliss vers Mac. Que cette vieille concierge aille importuner quelqu'un de son âge !

— Gabe ? appela Cal en lui tendant une bière bien fraîche. Tu as l'air d'avoir soif.

— Plus que tu ne saurais le concevoir !

— Je vois, sourit Cal. Je parie que mademoiselle Ella essaye encore de former des couples !

— Quoi qu'il en soit, elle perd son temps avec moi…

Gabe avala une grande gorgée de bière, et sentit son mal de tête se calmer un peu.

— … mais Maggie ferait mieux de se méfier.

— Notre Mag est capable de se défendre seule, fit Cal, tandis que tous deux voyaient l'un des plus jeunes ranchers de Cal entraîner la jeune femme sur la piste. Vraiment, elle a belle allure quand elle prend la peine de s'habiller…

— Elle ne sait même pas ce qui se mijote à son sujet, marmotta Gabe.

— Maggie sait ce qu'elle fait. Et puis… elle doit commencer à en avoir assez de la solitude…

— Ouais. Je suis bien placé pour la comprendre.

— Il est peut-être temps que tu songes à te recaser, toi aussi ! suggéra Cal avec toute l'assurance d'un jeune marié.

— Les femmes sont des sources intarissables d'ennuis, affirma Gabe, s'attendant à déclencher une avalanche de protestations.

— Tout à fait d'accord ! répliqua Cal en tapant sur l'épaule de son ami. Seulement, certaines en valent la peine, et d'autres pas…

Cela faisait des années que Maggie n'avait pas passé une si bonne journée. Et maintenant, elle ramenait quatre petites filles chez elle, qui iraient — on pouvait toujours rêver — bien sagement se coucher tandis que les nouveaux mariés fêteraient leur nuit de noce. L'aînée, Georgie, occupait le siège avant — la place d'honneur. Lanie, Cosette et Amie étaient gentiment installées sur la banquette arrière. Les bavardages allaient bon train, et leurs joyeux gazouillis couvraient presque le bruit de ferraille de la guimbarde.

Courage, ma vieille, plus que quelques semaines à tenir ! Quand j'aurai vendu la selle et la pelote à épingles couleur fraise, et quand je récupérerai l'argent de…

— M'man !

— Qu'y a-t-il, Lane ?

— Le pick-up fait de plus en plus de bruit ! Il va tomber en panne, comme la dernière fois ?

— J'espère bien que non !

La neige avait recommencé à tomber au moment où elles avaient quitté la fête, ainsi que la plupart des autres invités. Mais à présent, elle tombait en rafales ; on eût juré qu'il faisait déjà nuit.

— Avec un peu de chance, reprit Maggie, nous pourrions faire encore mille kilomètres avec cette vieille caisse !

— Avons-nous un peu de chance ? s'inquiéta Georgie, sans quitter des yeux le pare-brise sur lequel s'écrasaient les flocons serrés.

— Oh, absolument ! s'exclama la jeune femme.

Oui, sa bonne étoile avait brillé, aujourd'hui ! Son nouvel ensemble de soie rouge aux boutons de nacre valait bien cent fois les vingt dollars qu'il lui avait coûté. Elle avait ri, dansé, et même bu du champagne — modérément, puisqu'elle devait conduire et s'occuper de quatre petites filles turbulentes jusqu'à la fin de la soirée…

— M'man, que se passe-t-il donc ? fit Georgie.

— Je crois que c'est le tuyau d'échappement, hasarda Maggie. Ce n'est rien, nous serons arrivées dans deux ou trois minutes.

Il n'en fallait pas davantage pour réconforter les petites, et les bavardages repartirent de plus belle. Au moins, les filles de Lisette n'étaient nullement troublées à l'idée d'avoir un nouveau papa. Elles s'adaptaient avec une facilité déconcertante. Ses propres filles n'accepteraient certainement pas aussi aisément un beau-père... Mais pourquoi tout le monde s'acharnait-il à croire qu'elle voulait compliquer encore sa vie en cherchant un époux ?

— Quelqu'un nous suit ! s'écria Lanie.

— Les gendarmes ? s'alarma Cosette.

— Ce n'est pas possible ! Maman n'allait pas trop vite ! s'indigna Georgie.

Maggie ne put reconnaître la voiture dans son rétroviseur.

— C'est peut-être grand-mère, dit-elle, bien que cela fût très improbable à cause du mauvais temps.

— Sûrement pas ! Grand-mère roule encore plus lentement ! assura sa cadette.

De toute façon, le samedi, elle avait toujours sa soirée de bingo, pensa la jeune femme.

— C'est M. O'Connor !

Georgie se tourna vers sa mère avec des yeux aussi ronds que si le Président était venu leur rendre visite. Maggie se gara devant chez elle, et Gabe en fit autant.

— Tu as un problème ? lui cria-t-elle par sa vitre ouverte.

Souriant, Joe lui fit un signe de main avant de s'extraire de la voiture, un sac à dos rose à la main. Puis Gabe apparut à son tour, en même temps que Maggie sortait du pick-up. Les fillettes braillèrent en sentant les flocons s'écraser sur leur visage, puis hurlèrent lorsque Joe fit semblant de jeter le sac à dos dans une poubelle, avant de s'enfuir avec des fous rires, pourchassées par le garçon.

— Je m'excuse, dit Gabe, mais Amie avait oublié son sac à dos. J'ai pensé que le plus simple était de passer le lui rendre en revenant chez moi.

Il portait un imperméable de coton par-dessus son costume, et si la neige s'entassait déjà sur ses bottes, il n'avait pas l'air de s'en préoccuper. Maggie alluma la lumière éclairant le chemin de sa maison.

— Monsieur O'Connor ! s'écria Georgie sur le pas de la porte. Joe veut vous demander quelque chose !

— Entre donc, dit Maggie d'un ton presque indifférent, comme si Gabe lui rendait visite tous les samedis. Toi aussi, Kate, ajouta-t-elle en voyant la petite regarder à travers la vitre du pick-up de son père. Venez vous réchauffer à l'intérieur !

Sans grand enthousiasme, Gabe ouvrit la portière, et Kate se hâta de sortir, considérant Maggie de ses grands yeux brun foncé.

— Nous ne pourrons pas rester longtemps, dit-il, comme si la jeune femme les avait invités à passer la soirée chez elle.

— Cela ne fait rien. Mais vous n'allez tout de même pas vous arrêter devant chez moi sans entrer !

— Surtout que Joe ne sortira pas de ta maison si je ne vais pas le chercher !

— Il veut rester jouer avec les filles, expliqua Kate. Il continue à faire l'intéressant !

— Ne t'inquiète pas, je m'en charge !

A cet instant, Georgie ouvrit la porte.

— Bonjour, monsieur O'Connor. Bonjour, Kate.

— Bonjour, répondit l'adolescente, tandis que Maggie faisait signe à Kate et à Gabe d'entrer.

— Excusez le désordre, dit-elle, craignant que ses hôtes ne soient surpris en apercevant, disséminés dans la vaste cuisine, les divers objets qu'elle avait entrepris de décorer.

Je vais essayer d'expédier tout cela à temps pour que les gens les reçoivent avant Noël.

Gabe hésita à franchir le pas de la porte. Son regard parcourut les rangées de baquets à sève, les piles de colis postaux, le gigantesque rouleau de papier kraft posé près du réfrigérateur, avant de se poser sur la selle anglaise que Maggie avait gagnée quelques semaines auparavant à la tombola de la paroisse, et qui trônait au beau milieu de la table.

— Je t'en prie, assieds-toi ! proposa Maggie.

— Volontiers, mais où ?

Il n'avait pas tort. Toutes les chaises métalliques blanches — aux formes élaborées, mais souvent légèrement bosselées — étaient occupées par un paquet prêt à être posté. Ou par un objet à empaqueter. Ou à peindre.

— Pourquoi pas dans le salon ?

— Il vaut peut-être mieux que nous nous en allions, objecta Gabe.

Puis, ignorant les grognements outrés de Joe, il poursuivit, en dardant sur Maggie un regard sévère :

— Tu dois absolument faire réviser ton pick-up ! J'ai bien peur que tu aies perdu une partie de ton tuyau d'échappement sur la route.

— Je craignais que ce soit quelque chose de ce genre, avoua-t-elle. Je vais tenter de dégotter une nouvelle voiture cette semaine…

Ce n'était pas tout à fait un mensonge. Elle cherchait depuis longtemps un nouveau véhicule. De là à en acheter un, toutefois, il y avait un abîme…

Son regard glissa sur le comptoir et sur les placards, avant de s'attarder sur le lustre décoré de fleurs blanches qui était suspendu au-dessus de la table. Si Gabe en avait parlé, comme elle aurait été fière de lui expliquer que c'était un lustre italien, et qu'elle en avait refait elle-même l'alimentation électrique !

Elle aurait pu ajouter qu'elle apprenait aussi à remplacer les tuiles du toit…

— Nous aimons beaucoup ce pick-up bleu garé près de chez vous…

— Georgie ! s'indigna Maggie.

Trop tard.

— Nous attendons d'avoir assez d'économies ! conclut la petite.

— Il a déjà cent mille kilomètres, dit Gabe en fronçant les sourcils. Certes, les pneus sont neufs…

Il ne ressemblait pas du tout à l'homme qui l'avait invitée à danser une valse, se dit-elle.

— … tu peux le prendre tout de suite. Tu paieras quand tu voudras.

— Je te remercie, mais je n'en ferai rien.

— Pourquoi ?

— Si je décide de l'acheter, je le paierai comptant !

Un étrange sourire se dessina sur les traits de Gabe.

— Tu as toujours été têtue, Maggie. Sache tout de même que le prix est négociable, et inférieur à celui qui est affiché sur le pare-brise.

— Très bien. Je m'en souviendrai quand je ferai mon choix.

— Fais-le vite, Maggie. Ton pick-up est bien mal en point !

Comme si elle ne le savait pas…

— Nous ferions mieux de partir, à présent, marmonna-t-il en poussant vigoureusement son fils vers le vestibule.

— Kate, si tu veux travailler demain, viens quand tu veux après 11 heures, dit Maggie en leur ouvrant la porte.

— O.K.

— Bonne nuit, fit Gabe.

La gêne qu'il y avait eu entre eux était revenue. Les avait-elle seulement jamais quittés ? Tout de même, décida Maggie en refermant la porte sur eux, ce fut une merveilleuse journée.

Elle avait dansé avec Gabe pour la deuxième fois de sa vie. Et, sans cela, elle ne se serait même pas souvenue de la première fois… C'était toujours au bal du lycée, après que Cal était soi-disant rentré chez lui, sous un prétexte banal. En réalité, il était allé « enlever » cette Linda quelque chose, que son père avait enfermée lorsqu'il avait su qu'elle sortait avec Cal, et Maggie s'était trouvée libre. Ce dont Gabe avait profité.

Ce soir-là, il avait toute la confiance de la vedette sportive qu'il était. Mais il restait également le jeune étudiant qui l'avait aidée à faire ses devoirs d'algèbre et de chimie, qui l'avait taquinée à cause de son béguin pour son professeur de biologie, et qui lui avait donné Mandy, son premier cheval, parce que Mandy était vieille et qu'elle avait besoin d'une amie — et d'un lieu pour finir ses jours…

Elle n'aurait jamais cru alors qu'à l'âge adulte, elle et Gabe deviendraient presque des étrangers, embarrassés l'un avec l'autre, pleurant chacun de son côté son conjoint infidèle, et s'en voulant réciproquement… comme si c'était de leur faute si Jeff et Carole avaient fait l'amour à Bozeman pendant un nombre de mois que ni lui ni elle n'avait envie de connaître.

Las ! peut-être — *peut-être* — pouvaient-ils encore redevenir amis…

4.

Le trajet de retour — quelques kilomètres seulement — parut interminable à Gabe. Pourquoi se sentait-il soudain si seul, malgré le bavardage de ses enfants ? Etait-ce parce que ses deux meilleurs amis venaient tous deux de se marier et seraient le soir même bien au chaud avec leur femme aimante — ainsi que tous les autres soirs ?... Si Gabe leur souhaitait tout le bonheur possible, il ne pouvait s'empêcher de ressentir un petit pincement de jalousie...

Sa maison était sombre et froide, malgré la veilleuse laissée allumée à l'étage — le chien de Joe ayant peur de l'obscurité lorsqu'il était seul. Puff — un mélange étonnant de labrador et de chien de berger — laissa éclater sa joie par une série d'aboiements dès qu'il entendit ses maîtres ouvrir la porte, puis il dévala l'escalier.

— Papa, tu t'es bien amusé ?

— Mais oui, Kate.

Gabe se hâta d'ôter sa cravate et de la déposer sur une chaise de la cuisine, à côté de sa veste de chasse.

— Tu avais l'air très séduisant, dit-elle en se laissant tomber dans ses bras pour se faire câliner.

— Arrête de grandir !

La petite rit contre sa poitrine.

— Il faudra bien que je grandisse pour avoir des petits amis et te rendre fou !

— Ce n'est pas très gentil de dire ça à un vieil homme fatigué.

— Tu n'es pas vieux ! protesta-t-elle en s'écartant de lui. Et tu as dansé avec Mlle Moore…

— C'est vrai.

Il n'oublierait pas de sitôt la sensation du corps de Maggie contre le sien. Il pensait n'avoir jamais dansé avec elle auparavant. Et il s'était brusquement souvenu de ce bal du lycée, quand Cal était parti « enlever » Linda…

— J'ai aussi dansé avec Ella Bliss…

— Georgie l'aime bien, fit Kate en prenant un pack de jus d'orange dans le réfrigérateur. Mais moi, elle me fait peur.

— Elle me fait peur aussi, marmonna Gabe.

Kate éclata de rire. Elle était loin de se douter à quel point son père était sérieux…

Plus tard, tandis que les enfants regardaient un film à la télévision, Gabe mit son blouson le plus chaud et sortit voir ses chevaux. Ses deux employés — qu'il avait toujours vus travailler au ranch — s'occupaient certes parfaitement d'eux, mais il avait besoin de marcher un peu avant de se mettre au lit. Il était nerveux, et même inquiet. Il ne se sentait pas du tout lui-même… et en attribuait la faute aux terribles sœurs Bliss.

Elles ne laisseraient aucun répit à Maggie. La jeune femme était jolie, intelligente et gentille, et souffrait probablement de la solitude, elle aussi. Elle serait donc une proie facile pour quiconque lui fournirait un véhicule digne de ce nom, et lui permettrait de quitter sa « ferme en ruine », comme le disait Ella Bliss.

C'était même étonnant que Maggie ait pu vivre aussi longtemps dans ce vieux ranch, — au point de donner l'impression d'y être sentimentalement attachée. Eût-il été en bon état, il était de dimensions bien trop modestes pour rapporter un centime. Quant à sa grande enseigne délavée Objets Anciens du Montana, il était difficile d'imaginer qu'elle pouvait inciter beaucoup d'amateurs d'antiquités à pénétrer dans sa grange… Hélas, Maggie n'avait pas le choix. Tout le monde savait à Bliss que Jeff avait dilapidé pour lui-même une partie de son futur héritage, et en avait ensuite utilisé le reliquat pour soigner son père, atteint d'un cancer. Pour sa part, Maggie avait bien hérité de la maison de ses grands-parents, mais elle avait dû y renoncer, n'ayant pas les moyens de payer les taxes — sans parler des emprunts qu'il lui avait fallu achever de rembourser.

Cependant lui, Gabe, pouvait l'aider à mettre du beurre dans ses épinards… Ses hangars débordaient de vieux objets qu'il aurait dû porter depuis longtemps à la décharge. Il pourrait la payer pour l'en débarrasser — et, si elle réussissait à vendre une partie de ce fatras, ce serait autant de gagné pour elle…

Pourquoi n'y avait-il pas pensé plus tôt ?

— Il faudrait songer à nous rendre à Brimfield en mai, déclara tante Nona, en levant le nez de son journal du dimanche. Nous pourrions y tenir un stand, et camper sur place avec les enfants dans une camionnette de location.

— Brimfield ? Tu crois ?

Trois fois par an, cette ville du Massachusetts hébergeait le plus grand marché aux puces du monde. Mais elle était tellement loin de Bliss…

— Ta réputation grandit, Margaret, poursuivit sa tante. Surtout dans la catégorie des objets campagnards traditionnels. Il n'est que temps d'aller au-devant de tes meilleurs clients.

— Nona a raison, approuva sa mère en dégustant son café. Un de ces jours, tu devrais même aller en Californie, pour rendre visite à ces grands magasins qui se fournissent chez toi. De plus, cela t'obligerait à t'acheter des vêtements *neufs*...

Ce n'était guère le moment de dire à sa mère qu'elle venait de dénicher sur internet une paire de bottes à peine usagées pour dix dollars, port compris ! se dit Maggie.

— Laisse cette petite tranquille ! Les vêtements anciens lui vont à ravir, protesta Nona, qui portait un sari de soie rose et plusieurs colliers de perles — pas exactement des vêtements d'occasion !

Agée de soixante-trois ans, Nona avait huit ans de plus que sa sœur, et une personnalité si différente que Maggie se demandait souvent comment sa mère et sa tante pouvaient cohabiter. Agnès, elle, s'habillait de neuf, et selon le dernier cri : son travail de secrétaire de mairie lui permettait de vivre son veuvage sans trop de soucis financiers.

Nona souleva un collier de perles en strass pour le montrer à sa nièce.

— Il date des années trente et appartenait à une danseuse de San Francisco qui s'est reconvertie en tenancière de bordel dans l'Idaho. Qu'en penses-tu ?

— Très joli ! Pourrais-je te l'emprunter de temps en temps ?

Maggie ne savait pas du tout si elle aurait jamais l'occasion de s'en parer, mais ces perles scintillantes la fascinaient. Nona ôta le collier et l'assujettit autour du cou de la jeune femme.

— Prends-le tout de suite, il te portera chance !

— Avec les hommes ? s'enquit Maggie en riant. Mm... peut-être ne devrais-je pas porter une parure au passé si peu recommandable !

— Au contraire, cela te ferait le plus grand bien ! répliqua sa tante. Dieu sait que tu as besoin d'un peu de repos et de distraction !

Agnès secoua la tête d'un air réprobateur.

— Je ne sais vraiment pas ce que je vais faire de vous deux ! Assieds-toi, Margaret, et prends une bonne tasse de café. Et pour l'amour du ciel, enlève ce collier ridicule !

— Moi, il me plaît bien ! argua la jeune femme en faisant couler dans ses doigts les perles étincelantes. Je fais une bonne affaire : je viens pour emprunter ta voiture, et j'emporte un collier en prime !

— C'est un cadeau de Noël anticipé ! dit Nona. De toute façon, Maggie ne peut rendre un cadeau à sa bonne vieille tata !

— Bonne tata, mon œil ! maugréa Agnès. Margaret, tu ferais mieux de t'asseoir et de nous parler de ce mariage.

— Je le ferai une autre fois, répondit la jeune femme en consultant sa montre. Kate O'Connor sera chez moi vers 11 heures pour m'aider à faire des paquets, je ne peux pas rester plus longtemps…

— La fille de Gabe O'Connor ? s'étonna sa tante en levant les sourcils jusqu'à sa frange rousse. Quel âge a-t-elle, maintenant ?

— Douze ans, je crois. Elle est très gentille et très bien élevée. Hier, au mariage, elle m'a dit qu'elle aimait les objets anciens…

— Si je comprends bien, son Don Juan de père va la conduire chez toi ? observa Nona, subitement tout émoustillée. Seigneur ! Dépêche-toi de rentrer avant lui pour enfiler quelque chose d'un peu plus pimpant !

Maggie considéra son jean usé jusqu'à la corde, ses bottes à bouts renforcés, et son pull bleu marine.

— Comment ? Je ne suis pas assez pimpante comme cela ? plaisanta-t-elle.

— Le bleu marine ne te va pas, décréta sa mère. Il te faut des teintes pastel, avec un pantalon de soie blanche.

— Hier, j'ai eu des compliments pour mon ensemble rouge, dit Maggie, certaine que cette information plairait à sa mère.

— C'est le noir qui convient le mieux à Maggie ! intervint Nona.

Puis elle reprit, en se tournant vers la jeune femme :

— Une robe longue de velours noir te siérait à ravir, avec un décolleté profond — tu as assez d'avantages à mettre en valeur, et je ne parle pas de ce collier de perles…

Maggie prit la tasse de café que sa mère venait de lui servir et en but une gorgée.

— Et où veux-tu que je porte un tel ensemble ?

— Oh ! Les Brown n'ont pas fini d'organiser des fêtes dans leur ranch ! prédit Agnès.

— Tu as peut-être raison, repartit la jeune femme, se représentant déjà Lisette s'occupant avec adresse — et sans effort apparent — autant de la cuisine que des décorations…

Nona fit tinter contre sa tasse ses ongles couleur de corail.

— Notre ami Owen s'est enfin casé, dit-elle, mais Gabe O'Connor n'est sorti avec personne ces derniers temps, n'est-ce pas ?

Maggie ignora la question et, avant que sa mère ne fasse pour la énième fois allusion au scandale, s'empressa de demander :

— Je vous ai dit que les marieuses se sont mis en tête de me dénicher un époux ?

Les deux sœurs éclatèrent de rire — et cette réaction ne contribua guère à conforter l'ego de Maggie.

— Suis-je un cas si désespéré ?

Nona secoua la tête.

— Bien sûr que non, ma chérie, mais je ne te vois pas prendre docilement rendez-vous avec un homme que t'auraient recommandé ces vieilles filles !

— A moins que ce ne soit un vendeur de pick-up ! suggéra Agnès. Tu pourrais lui faire consentir un rabais avant de l'éconduire !

— Ou le postier ! renchérit Nona en pouffant. C'est incontestablement l'homme que tu fréquentes le plus dans cette ville !

— Je vais peut-être vous surprendre, riposta Maggie, mais je ne refuserais pas de sortir de temps en temps avec un homme.

Agnès fut la première à se remettre de sa surprise.

— Il n'y a rien de tel pour redonner des couleurs à une femme que de se mettre en tenue de soirée, dit-elle, s'agit-il seulement d'un dîner au restaurant.

— N'oublie surtout pas de porter un décolleté, conseilla Nona. Et pense à Gabe O'Connor !

— Pour l'amour du ciel, Nona ! se fâcha Agnès. Pourquoi s'accommoderait-elle *encore une fois* de ce que lui a laissé Carole Walker ?

La réponse était évidente, pensa Maggie...

Gabe ne reconnut la conductrice de l'Oldsmobile grise qui venait de s'arrêter devant lui qu'à l'instant où deux petites filles en sortirent. Georgie lui fit un signe de la main.

— Qu'est-il arrivé au pick-up ? demanda-t-il.

C'était la première chose qui lui était venue à l'esprit.

— Il est retourné au garage, dans l'espoir d'un nouveau miracle, répondit Maggie, désinvolte. J'ai emprunté la voiture de ma mère. Bonjour, Kate !

— Bonjour, madame Moore, dit la fillette en se hâtant de rejoindre son nouvel employeur. Par quoi voulez-vous que je commence ?

— Eh bien, fit Maggie en souriant, la première chose à faire est de ne pas rester dehors par ce froid. Nous allons étiqueter les paquets qui sont dans la cuisine, puis nous irons dans la grange remplir des bons de commande.

— O.K.

— Je vais t'expliquer, offrit Georgie en conduisant Kate par la main vers la porte d'entrée. M'man s'est levée tôt et il y a des objets partout. C'est un vrai capharnaüm !

— Combien de temps puis-je la garder ? s'enquit Maggie en se tournant vers Gabe.

— Tant que tu veux.

— Je peux te la ramener vers 5 heures, proposa-t-elle, tandis que Gabe traversait l'allée afin de poursuivre la conversation sans être obligé de crier.

— Cela me convient parfaitement, dit-il, tout en se demandant pourquoi diable il se sentait soudain si nerveux.

Il n'entendait pourtant pas l'inviter à dîner !

— Euh... Pourrais-tu par hasard jeter un coup d'œil à deux de mes hangars qui ont grand besoin d'un nettoyage par le vide ?

— Aujourd'hui ?

Elle porta sur lui des yeux si bleus que Gabe regretta d'être sorti de sa voiture.

— Ma foi, oui, si tu as le temps.

— Je peux venir cet après-midi, dit-elle d'un ton hésitant. Souhaites-tu que je les vide le plus vite possible ?

— Oui, bien sûr, mentit-il en pensant qu'*elle* devait changer son pick-up le plus tôt possible.

— Eh bien, j'en aurai fini avant le week-end avec les sœurs Bliss, dit-elle en frissonnant, car le vent avait forci. Tu as quelque chose de particulier à me faire vendre, ou tu me cèdes le tout à un prix de gros ?

— Je voulais te payer pour tout enlever.

Elle sourit. Mon Dieu, qu'elle était jolie !

— Rentre vite avant de te transformer en statue de glace, Maggie ! Je passerai te voir plus tard.

— Ça marche.

Elle se dirigea vers la porte d'entrée, et lui vers sa voiture.

Il fallait absolument lui trouver un véhicule décent, se dit-il. Puisque Joe était chez sa grand-mère, il avait tout le temps d'aller demander son avis à un expert…

— Tu ne peux pas lui donner un pick-up ! s'exclama Owen, adossé à la clôture du corral derrière l'écurie.

— Mais elle ne peut pas continuer à conduire un tel tas de ferraille ! A l'approche de Noël, elle en a plus que jamais besoin, et elle risque à chaque seconde de tomber en panne !

Owen secoua la tête.

— Maggie a sa fierté. Lui apporter un pick-up, comme ça, sur un plateau ? Elle aurait l'impression que tu lui fais l'aumône !

— Je ne vois vraiment pas pourquoi ! grommela Gabe.

— Dis donc, que se passe-t-il ?

— Que veux-tu dire ?

— Vous deux, vous ne cessez de vous éviter soigneusement depuis… enfin, depuis des années. Hier, il a dû se passer quelque chose qui m'a échappé !

Owen s'éloigna de la clôture et désigna la maison.

— Viens chez moi. Suzanne a sûrement préparé du café. Le bébé va mieux : on a enfin dormi, cette nuit ! Mais comme ses sœurs vont venir fêter Noël chez nous en famille, Suzanne a entrepris de tout nettoyer, et je ne sais pas ce que nous allons trouver à l'intérieur…

Ce que Gabe trouva, ce fut une femme avide de savoir dans les moindres détails tout ce qui s'était passé pendant le mariage : qui portait quoi, qui dansait avec qui, les faits et gestes des sœurs Bliss, et comment ces dernières appréciaient le succès du festival. Il faut dire que Suzanne avait eu l'occasion de jauger de première main la compétence et l'efficacité des deux vieilles dames. Cette élégante rouquine était venue à Bliss faire un reportage sur le festival, et s'était retrouvée mariée en deux temps trois mouvements à Owen Chase — l'homme en tête de liste des « victimes » du « Club des Marieuses » !

— Je veux tout savoir ! exigea Suzanne.

— Les marieuses ont une nouvelle cible, grommela Gabe.

Le visage de Suzanne s'illumina, et Gabe regretta aussitôt d'en avoir tant dit.

— Qui est-ce ? s'écria la jeune mariée, en poussant vers lui un plat de cookies. Mangez tout si ça vous chante ! insista-t-elle. La seule chose qui m'importe, c'est que vous n'omettiez pas un seul détail croustillant !

— Je t'avais pourtant prévenu ! fit remarquer Owen à Gabe en prenant un cookie. Tu sais, ils sont vraiment bons ! ajouta-t-il dès qu'il eut avalé la première bouchée.

— Cela ne devrait pas t'étonner ! lança Suzanne à son époux. Mais de quoi donc as-tu prévenu Gabe ?

— De ton intérêt pour les mariages.

— Je dois écrire un deuxième article pour mon magazine. Je suis persuadée qu'aucun de mes collègues ne m'a crue lorsque j'ai annoncé mon mariage avec un rancher, il y a quelques semaines !

— Avez-vous fait la connaissance de Lisette ? interrogea Gabe.

— Je l'ai rencontrée une ou deux fois. Je lui ai commandé toutes sortes de desserts spéciaux pour les fêtes de Noël. Je regrette vraiment d'avoir manqué ce mariage, mais je suis si heureuse qu'il ait enfin eu lieu !

— Eux aussi ! répliqua Gabe. Cal n'a cessé de sourire jusqu'aux oreilles tout l'après-midi !

Suzanne ramena une longue mèche de cheveux roux derrière son oreille.

— Et maintenant, à qui le tour ?

— Ne me regardez pas comme ça, tous les deux ! se récria Gabe, sans comprendre pourquoi ils s'étaient mis à rire. Je suis sérieux !

— Les marieuses, aussi, sont sérieuses ! rétorqua Suzanne. Si elles ont jeté leur dévolu sur vous, après Cal et Owen, vous aurez beau prier, vous n'aurez aucune chance de leur échapper. Alors, à qui veulent-elles vous faire passer la bague au doigt ?

— Vous vous trompez complètement ! C'est Maggie qu'elles veulent aider, à présent.

— Maggie Moore, la jeune femme qui vend des antiquités dans sa grange ?

— Objets Anciens du Montana : c'est le nom de son commerce, précisa Gabe.

— Je meurs d'envie d'aller y faire un tour, mais je ne connais pas les heures d'ouverture, fit Suzanne en s'emparant d'un bloc-notes et d'un stylo. J'espère qu'elle acceptera que j'écrive un article sur elle. Chaque mois, *VieNat* publie une enquête sur des femmes qui ont créé leur propre entreprise.

— *VieNat* ?

— *Vie Naturelle.* Sait-elle que les marieuses l'ont dans leur ligne de mire ?

— J'en suis à peu près sûr. Lorsqu'elles ont quelque chose en tête, elles ne brillent généralement pas par leur subtilité. En fait, Ella m'a déjà confié qu'elles envisageaient d'unir Maggie au nouveau vétérinaire — au fait, comment s'appelle-t-il, ce gamin ?

— Doc Hathaway n'est plus un gamin, tout de même, fit remarquer Owen.

— Et le Dr McGregor est trop vieux pour Maggie, qu'en penses-tu ? marmonna Gabe en considérant Suzanne qui notait sur son bloc tout ce qu'elle entendait. Il a au moins quarante-cinq ans !

— Eh, argua Suzanne, certaines femmes préfèrent les hommes mûrs, surtout quand elles cherchent des modèles paternels stables pour leurs enfants.

— Mais il boit, objecta Gabe. Entre autres choses…

— Maggie élève-t-elle des animaux dans son ranch ? s'enquit Owen, la bouche encore pleine d'un des délicieux cookies de son épouse.

— Deux ou trois chevaux, je crois. Pas davantage.

— Hathaway soigne les chevaux, ça tombe bien.

Gabe n'eut pas du tout l'air de cet avis.

— Ella a peut-être de grands pouvoirs, mais elle ne peut pas rendre un cheval malade afin que le vétérinaire rencontre Maggie !

— Au contraire, protesta Suzanne, je crois qu'Ella Bliss pourrait décrocher la lune ! Il suffirait pour cela qu'elle le veuille !

La jeune femme se pencha sur son époux, passa un bras autour de son cou et l'embrassa sur la joue.

— Regardez-nous ! Qui aurait pu croire que nous serions si heureux ensemble ?

Gabe ne pipa mot, et quelques secondes de silence s'égrenèrent.

— Gabe ne devrait-il pas offrir un pick-up à Maggie ? fit soudain Owen en adressant à son épouse un sourire entendu.

Gabe eut le sentiment que son ami était impatient de faire l'amour à sa femme dès que leur hôte serait reparti chez lui.

Suzanne ôta le bras du cou de son mari et but une gorgée de café.

— Y a-t-il des arrière-pensées sentimentales derrière cette question ?

— Sûrement pas ! se récria Gabe. Je ferais cela juste pour rendre service à une amie.

— Vous en a-t-elle elle-même prié ?

— Non. Mais elle fait des économies pour acheter un autre pick-up, et elle a flashé sur celui que je mettais en vente. Alors, je lui ai dit de le prendre tout de suite, et de me payer plus tard.

Ce qui était on ne pouvait plus raisonnable, pensa Gabe. Néanmoins, Owen se mit à rire.

— Tout ce que tu vas réussir à faire, c'est l'humilier profondément !

Suzanne vola au secours de Gabe :

— Moi, je trouve cela très gentil de sa part.

— De toute façon, elle a déjà refusé, soupira Gabe. Elle m'a dit qu'elle le paierait comptant, ou qu'elle ne l'achèterait pas ! Elle est plutôt du genre têtu…

— Ouais, plutôt ! approuva Owen.

— Eh bien, dit Suzanne, vous pourriez le laisser devant sa maison, avec les clés à l'intérieur, et lui dire qu'il est à sa disposition en cas de problème. Dites-lui surtout que vous faites cela pour ne plus vous inquiéter pour elle. Qu'en pensez-vous ?

— Elle croirait que je cherche à la séduire !

— Et ce n'est pas le cas ?

— Sûrement pas ! Certes, je n'aimerais pas trop la voir vivre avec un vieux docteur…

— Ou avec un jeune vétérinaire, acheva Owen, qui avait le plus grand mal à garder son sérieux.

— Quoiqu'il en soit, je garderai mes distances avec elle ! soutint Gabe.

— Dommage ! dit Suzanne, visiblement déçue.

— Je ne veux pas trop m'impliquer dans mes relations avec elle…

— Eh bien, dans ce cas, vous n'avez qu'à lui louer le pick-up jusqu'à ce que Mlle Bliss lui trouve un mari…

Au fond de lui-même, Gabe savait que les choses ne se passeraient pas aussi commodément…

Pour la centième fois de la journée — c'était du moins l'impression qu'avait Ella — Louisa contemplait avec admiration le bouquet de roses blanches et de gypsophiles. Il était même surprenant, pensa Ella avec soulagement, que sa sœur ne l'eût pas emmenée avec elle à l'église, ce matin…

— Je n'en reviens toujours pas d'avoir attrapé le bouquet de la mariée ! répéta Louisa en respirant le parfum des fleurs d'un air extasié. Je te jure que Lisette l'a envoyé directement sur moi !

— Quelle coïncidence ! grogna Ella.

Elle préférait ne pas envisager que sa sœur put se marier et aller vivre chez son voisin — un vieux monsieur sympathique, certes, mais à la vue si mauvaise qu'il ne pouvait pas prendre le volant d'une voiture sans l'envoyer à la casse.

— C'est sûrement un présage… soupira Louisa en lorgnant par la fenêtre la maison de Cameron, comme si elle espérait, en dépit du froid, voir son bien-aimé sur le pas de sa porte.

— Seulement parce que tu as attrapé quelque chose qui avait été envoyé exprès dans ta direction ?

Ella commençait vraiment à perdre patience. D'autant que dresser une liste des partis potentiels de Maggie s'avérait moins aisé qu'elle ne l'avait cru. Maggie était une jeune mère adorable et attentionnée, jolie et pleine de santé. Mais elle était aussi un peu… bizarre.

— Tu as trouvé un prétendant sérieux ? s'enquit Louisa en jetant un coup d'œil par-dessus l'épaule de sa sœur. Hum… le docteur et le vétérinaire, je connais. Mais qui est Rob Gladding ?

— Le propriétaire d'un atelier de carrosserie à l'entrée de la ville. Grace m'a dit qu'il avait trente-cinq ans.

Grace lui avait également assuré que l'homme était beau à couper le souffle, et que ses muscles avaient la taille de ballons de rugby. Ella ne jugea pas utile de rapporter ces observations.

— C'est peut-être mon meilleur poulain, reprit-elle. Enfin, *notre* meilleur poulain…

— Tu as un plan ?

— Pas encore. Avec Maggie, rien ne saurait être facile. Un homme capable d'entretenir une relation sérieuse avec elle devra être très compréhensif…

— Tu veux parler de sa maison ?

— Il vaut mieux qu'il ne s'attende pas à une demeure trop sophistiquée, c'est certain !

— Il y a aussi le genre de travail qu'elle fait. Il faudra qu'il accepte que sa femme dirige sa propre entreprise.

— Et qui plus est, une entreprise de brocante !

— Il devra aimer les enfants, les vieilles maisons, les vieux objets, et…

— … et Maggie, conclut Ella.

5.

— Quand veux-tu que tout soit débarrassé ?

Maggie glissa de nouveau un œil à l'intérieur du second hangar blanc, situé à une quarantaine de mètres de la maison d'habitation — une vaste demeure à étage qui lui semblait plus imposante encore que dans son souvenir.

Elle ne se rappelait plus quand elle était venue chez les O'Connor pour la dernière fois. Peut-être était-ce juste après qu'elle-même et Gabe eurent passé leur bac, à la mort du père de ce dernier. Elle et sa mère étaient venues offrir à la famille une dinde rôtie et un gâteau au chocolat…

— Dès que tu pourras ! répondit Gabe.

Maggie considéra l'invraisemblable amoncellement d'objets hétéroclites, qui allait jusqu'à toucher le plafond en pente du hangar. Le faisceau de sa torche découvrit en vrac des baquets, des tabourets, des chaises et des vieux meubles plus ou moins assortis. Le tout recouvert d'une abondante couche de poussière.

— Tout va dépendre du temps. Il pourrait rendre les choses difficiles…

La poussière l'empêchait de savoir s'il y avait là des objets d'un quelconque prix — qu'il faudrait donc déménager avec précaution… Bah ! de toute façon, Maggie ne jetait jamais le moindre objet avant d'être absolument sûre de ne rien pouvoir en tirer.

— Tu es certain que tu ne veux rien conserver ?

— Ce fatras est là depuis trente ans. Si nous ne nous en sommes pas servis pendant tout ce temps, je ne vois pas à quoi il pourrait nous être utile à présent !

— Toujours aussi réaliste ! murmura-t-elle, se demandant encore, pour sa part, si quelque chose valait la peine d'être sauvé — ou vendu...

... et comment elle allait pouvoir transporter tout cela tant que son pick-up ne serait pas réparé — à supposer qu'il le fût un jour !

— En effet, j'ai bien peur de ne pas avoir beaucoup changé, dit-il à voix basse.

Maggie le regarda, craignant de l'avoir vexé. Mais il avait l'air de parler sérieusement.

— C'est une bonne chose, assura-t-elle.

Elle rencontra son regard, et ils se sourirent comme s'ils avaient de nouveau dix-huit ans.

— Si je comprends bien, tu me faisais un compliment ? s'enquit-il en ébauchant un sourire.

— C'était une opinion, le taquina-t-elle. Si tu as envie d'un compliment, ne te gêne pas pour le prendre comme tel !

— Eh ! Personne n'attendrait d'un rancher du Montana qu'il soit autre chose que terre-à-terre et près de ses sous...

— Ce ne sont pas des défauts !

Elle se sentait soudain consciente qu'ils étaient seuls. Tous les deux. Et qu'ils se parlaient derechef comme de vieux amis. Une fois de plus, elle étudia le hangar.

— Je ne sais pas trop quand je pourrai m'y atteler. Oui, cela dépend d'abord du temps...

Et de l'état de son pick-up...

— As-tu l'intention d'utiliser ces bâtiments aussitôt après ?

— Je n'en sais trop rien.

Elle s'écarta de la porte pour lui permettre de la fermer et de la verrouiller.

— Je te contacterai dans quelques jours — juste après Noël — pour te proposer un prix et un délai. Bon ! il se fait tard, et je ferais mieux de rentrer, ajouta-t-elle en lui rendant la torche.

— Pour sûr !

Ils marchèrent en silence — si ce n'était le crissement, sous leurs bottes, de la neige durcie par le gel — en direction de la maison. La lumière brillait à presque toutes les fenêtres ; sur le versant nord du toit, la cheminée laissait échapper des volutes de fumée blanche.

— Quelle superbe demeure ! s'exclama Maggie.

Elle n'avait guère changé depuis qu'elle l'avait vue pour la première fois. Au fil de ses cent cinquante années d'existence, l'antre des O'Connor s'était agrandi à mesure que la famille s'élargissait ; aujourd'hui, elle appartenait entièrement à Gabe, prête à accueillir une nouvelle génération.

Maggie espérait bien que le rancher estimait sa chance à sa juste valeur…

— Merci, dit-il d'un ton où perçait une fierté que Maggie ne manqua pas de relever. Dieu veuille que Joe ou Kate prennent la relève un jour ou l'autre… Je serais désolé de la voir quitter la famille !

— A propos, comment va ta mère ?

— Elle se porte bien. Elle habite en ville depuis l'année dernière.

— Et elle ne le regrette pas ?

— Pas du tout ! Elle n'a pas voulu partir lorsque je me suis marié. Pourtant, elle ne se plaisait plus ici… ces lieux lui faisaient trop penser à mon père… Mais Carole voulait reprendre ses études, et elle avait besoin d'aide pour élever les enfants…

Il s'interrompit, et tous deux comprirent aussitôt pourquoi…

— A ton avis, depuis combien de temps se fréquentaient-ils ?

Gabe s'arrêta et se tourna vers la jeune femme. Maggie ne put deviner à son expression s'il jugeait sa question déplacée… Elle n'avait pu se garder de la poser. Après tout, de nombreuses années s'étaient écoulées depuis ces événements, et il était peut-être temps de chercher à les comprendre davantage…

— Je suppose que cela a duré assez longtemps, reconnut-il. Des mois, peut-être. Elle n'était pas heureuse avec moi, presque depuis le début de notre union. Tu sais, nous avions été *obligés* de nous marier. Elle était enceinte de Kate, et moi, j'étais fou de joie à l'idée de l'épouser, d'avoir des enfants, et de les élever ici, comme mes parents l'avaient fait avec moi…

— Je crois que Jeff l'avait toujours aimée…

Ce n'était pas une chose facile à admettre, et du reste cela lui avait pris beaucoup de temps.

— A peu près deux semaines avant… l'accident, poursuivit-elle, il m'avait dit qu'il ne voulait plus vivre au ranch. Je n'avais pas compris qu'en réalité, il ne voulait plus vivre avec moi…

— Je suis navré, Maggie…

— Ce n'est pas ta faute. Sincèrement. Je croyais vraiment qu'il m'aimait.

La jeune femme détesta la manière dont sa voix venait de se briser. Elle avait toujours réussi à ne pas pleurer, et ce n'était certainement pas maintenant qu'elle allait commencer ! Surtout devant Gabe…

Quand ce dernier s'avança vers elle, les bras ouverts, elle déposa doucement la joue contre le froid tissu de sa veste. Elle sentit que ses bras l'entouraient, lui insufflant une chaleur si réconfortante qu'elle en oublia — un instant — sa solitude.

— Je sais, souffla-t-il.

Elle crut sentir ses lèvres lui effleurer le front. Sans doute avait-elle trop d'imagination… Jamais elle ne connaîtrait le goût des lèvres de Gabe — même si, plus jeune, elle avait passé bien des nuits à en rêver.

— Je présume qu'ils ne voulaient faire de mal à personne, dit Maggie, dans l'espoir de le rasséréner. Ils n'ont pu se défendre de se fréquenter, c'est tout…

— Foutaises ! s'écria-t-il en s'écartant brusquement d'elle.

Puis il plongea les yeux dans les siens et prit son visage entre ses mains gantées, comme pour l'empêcher de détourner le regard.

— Ecoute, reprit-il, ils savaient parfaitement qu'ils nous trompaient ! Et s'ils n'avaient pas été tués dans cet accident, ils auraient brisé nos deux familles sans même jeter un seul regard en arrière !

Il se tut. Maggie ne sut que dire. Elle ne souhaitait qu'une chose : qu'il s'arrête d'exprimer un ressentiment aussi amer.

— Allons, Maggie ! dit-il encore. Tu ne vas tout de même pas me dire que tu n'en as jamais voulu à Jeff ! Que tu n'as jamais regretté de ne pouvoir lui crier à la face ce que tu pensais de lui !

— Il ne m'aimait pas comme je l'aimais, tout bonnement, dit-elle avec calme. Quoi que je dise ou fasse, je ne pourrais rien changer à cela.

— Je suspectais bien quelque chose, déclara Gabe, mais j'ignorais qu'il s'agissait de ton mari. Si je l'avais su, j'aurais…

— Quoi ? Tu me l'aurais dit ?

— Oui.

— Pourquoi ?

En agissant ainsi, Gabe aurait délibérément détruit sa vie. Elle ne parvenait pas à comprendre pour quelle raison il l'aurait fait — à moins qu'il ne l'ait jugée responsable du comportement de Jeff.

— Parce que tu ne méritais pas d'être traitée ainsi, Maggie ! Et moi non plus.

Elle sentit son pouce ganté effleurer la commissure de ses lèvres.

— Il faut que j'y aille, marmotta-t-elle en faisant un pas en arrière, de sorte qu'il dut relâcher son étreinte.

De nouveau, elle perçut la morsure du froid. Tant pis ! Elle voulait fuir Gabe et la chaleur de ses bras, se retrouver à cent lieues de l'homme qu'elle avait chéri depuis l'enfance. Hormis ces quatre dernières années, ils n'avaient jamais cessé d'être bons amis. Ensemble, ils avaient taquiné Calder, sauvé Owen, et, en dignes fils et fille de ranchers, ils avaient toujours adoré les grands espaces et souffert d'être enfermés entre les murs de l'école.

Oui, la jeune femme n'avait jamais cessé de désirer… ce qu'elle ne pourrait jamais posséder. Au lycée, les garçons l'appelaient « la brave Maggie ». Elle aurait tant aimé être davantage aux yeux de Gabe O'Connor…

A présent, Cal et Owen avaient pris femme… et elle-même et Gabe demeuraient solitaires. Cependant, ce soir, ils avaient évoqué ensemble leurs mariages respectifs, et, en ami, il l'avait tenue — brièvement, mais affectueusement — dans ses bras.

En ami. Il n'y avait pas l'ombre d'une équivoque… Pourquoi, alors, se tourmenter ?

*

* *

— Il y en aura pour tout le monde !

Gabe ne savait pas quelle attitude adopter vis-à-vis de sa fille. Kate se tenait fièrement près de la cuisinière, surveillant une poêlée entière d'œufs brouillés. Elle avait même revêtu le tablier de coton imprimé de sa grand-mère.

— C'est très attentionné de ta part, Kate, fit Maggie. Mais nous devrions vraiment rentrer chez nous.

— Pourquoi ? protesta Georgie.

Elle acheva de mettre la table, puis se redressa pour admirer son œuvre. Les couverts étaient parfaitement disposés à leurs places respectives.

— Parce que notre dîner nous attend à la maison ! expliqua sa mère.

— Tu nous as dit que nous n'avions que des sandwichs ! lui rappela Georgie. Le dimanche soir, il n'y a jamais autre chose que des sandwichs et des chips !

— Vous en avez de la chance ! s'exclama Joe en apportant les serviettes.

— Qu'est-ce que vous avez, vous autres ? demanda Georgie.

— Des toasts, comme au petit déjeuner ! repartit le garçon en évitant de regarder son père, car ce dernier ne goûtait peut-être pas la révélation de ce petit secret de famille...

— Nous avons toujours un petit déjeuner le dimanche soir ! répéta-t-il, n'ayant entendu aucune remontrance de la part de Gabe.

— Où est Lanie ? s'inquiéta Kate.

— Elle regarde la télévision avec le chien, répondit Georgie. Elle est folle de cet animal. Dommage que nous n'en ayons pas ! ajouta-t-elle en adressant à Maggie un regard suppliant — de ses yeux si bleus, si semblables à ceux de sa mère...

— On en reparlera plus tard…

— Vous ne pouvez pas partir ! interrompit Kate, qui semblait au bord des larmes. J'ai préparé beaucoup trop d'œufs !

Owen avait beau lui dire que c'était normal à son âge, et que cela passerait, Gabe avait du mal à s'habituer au comportement de sa fille.

— Maggie, dit-il enfin, après un long silence, nous serions très heureux que vous restiez dîner.

Je t'en prie, implora-t-il *in petto. Ne déçoit pas Kate. Aie pitié de moi* !

Elle leva les sourcils, comme si elle savait exactement ce qu'il pensait.

— Eh bien, dit-elle en s'efforçant d'avoir l'air gai, ces œufs sentent si bon que je ne vois pas comment nous pourrions refuser. Je vais faire la vaisselle, ajouta-t-elle, se dirigeant vers l'évier. Et après, tu me diras ce que je pourrai faire pour t'aider.

— Il n'y a rien à faire, je m'occupe de tout ! soutint Kate. En plus, j'ai fait le café. Décaféiné, parce que, sinon, papa ne dormira pas de la nuit ! Et maintenant, tout le monde à table !

L'adolescente désigna à Maggie la place libre en face de celle que Gabe occupait habituellement. Georgie et Joe s'assirent côte à côte, et la petite Lanie se glissa sur le siège vacant à côté de Gabe.

— Bonjour, dit-elle, en le gratifiant d'un sourire presque identique à celui de sa mère.

— Bonjour.

Dieu merci, les filles de Maggie ne ressemblaient pas du tout à leur père, songea Gabe. Si sa haine pour l'homme qui lui avait volé son épouse s'était estompée au fil des années, elle n'avait jamais entièrement disparu. Oui, heureusement pour elles, les petites filles tenaient de leur mère…

— J'adore ton chien, lui dit Lanie.

— Je suis sûr qu'il t'aime aussi.

Gabe prit le lourd plat en céramique que lui tendait Kate. Il débordait tellement de saucisses que sa fille avait dû épuiser toutes les réserves que, profitant des promotions, il avait faites au supermarché la semaine passée…

Puis Georgie et Joe se disputèrent au sujet du devoir que Mme Barnhill avait donné à leur classe, avant de chanter à tue-tête *Petit Papa Noël*, histoire de savoir lequel des deux avait la voix la plus forte. Pendant ce temps, Kate s'évertuait à réciter à Maggie le rôle qu'elle tenait dans le grand spectacle que sa classe présenterait à Noël, tandis que Lanie donnait des morceaux de toast à Puff, qui s'était caché sous la table et croyait que Gabe ne l'avait pas vu. Maggie remplit les verres de lait, et réussit à suivre plus ou moins trois conversations à la fois — sans oublier de faire honneur au repas que Kate avait préparé.

Cela faisait presque un an qu'il n'y avait pas eu autant de bruit chez lui, pensa Gabe. Exactement depuis la dernière veillée de Noël…

Après le dessert, Kate accepta tout de même que Maggie l'aide à faire la vaisselle. Joe monta en ronchonnant prendre sa douche, et Lanie rejoignit Puff sous la table de la cuisine. Georgie, pour sa part, prit Gabe par la manche et le tira jusqu'au salon, où régnait un calme bienvenu.

— Lanie et moi, on veut un nouveau papa, murmura-t-elle en le regardant avec confiance, comme si elle attendait de lui un sage conseil.

Gabe souhaita de tout son cœur pouvoir répondre à cette attente.

— C'est très bien ! dit-il enfin, après plusieurs longues secondes de silence.

— Ouais ! dit la petite, sans cesser de le fixer de ses yeux pleins d'espoir.

— J'espère bien que tu en trouveras un…

— Pour sûr ! approuva la gamine en s'approchant tout près de lui.

Puis, prenant un air mystérieux, elle lui chuchota à l'oreille :

— Mlle Bliss a promis de nous aider. Elle va nous trouver quelqu'un de super !

Plus tard, lorsqu'il se retrouva seul, les enfants étant couchés — ainsi que Puff, qui tous les soirs se faufilait dans le lit de Joe — Gabe pensa de nouveau à cette conversation. Drôle de petite, cette Georgie. Elle et Joe étaient devenus bons amis depuis qu'ils étaient dans la même classe. C'était tout à fait naturel qu'elle veuille un papa. Ses propres enfants aimeraient sans doute avoir une mère…

A la simple idée qu'il pourrait se remarier, Gabe se versa un petit verre de scotch. Il lui paraissait évident que Maggie éprouvait la même aversion que lui pour l'état matrimonial. Après avoir vécu avec Jeff Moore, comment pourrait-il en être autrement ?

— Tu crois qu'il nous aime ?

— Qui ça ?

— M. O'Connor.

Maggie referma l'armoire de la chambre de Georgie et se retourna vers sa fille qui était blottie dans son lit, les paupières déjà lourdes de sommeil.

— Pourquoi voudrais-tu qu'il ne nous aime pas ?

— Il n'est pas très expansif.

— Il est toujours comme ça.

Maggie s'assit sur le bord du lit de Georgie.

— J'aime bien sa maison, murmura la petite.

Toutes deux jetèrent un coup d'œil en direction du lit de Lanie, à l'autre extrémité de la chambre. La cadette serrait contre sa joue l'ours en peluche bleu qui ne la quittait pratiquement jamais.

— Oui, c'est une très belle maison, approuva la jeune femme en éteignant la lampe de la table de nuit.

— Plus grande que la nôtre.

— Oui.

Et plus propre, plus calme et beaucoup plus en ordre ! songea Maggie. Gabe ne comprenait sûrement rien à la décoration savamment négligée de sa maison, à l'élégance humble et surannée de ses meubles anciens.

— Kate aussi, je l'aime bien, poursuivit Georgie en s'enfonçant davantage sous ses couettes. Et le chien aussi, évidemment.

— C'était une très belle soirée.

Maggie commençait à voir venir son aînée — avec une certaine anxiété, elle devait se l'avouer.

— Georgie, pourquoi dis-tu tout cela ?

— Pour rien.

La petite sourit à sa mère et leva les bras pour se faire câliner.

— J'étais très heureuse ce soir, c'est tout.

— C'est tout ? s'enquit la jeune femme en déposant un baiser sur le front de la fille.

— Ben oui. Verrons-nous Mlle Ella demain à la sortie de l'école ?

— Oui. Je travaillerai chez elle très tard demain soir, comme la semaine dernière. Tu viendras me rejoindre là-bas après la classe.

— Cool !

Le visage toujours éclairé d'un sourire, Georgie ferma les yeux.

— Bonne nuit, m'man.

— Bonne nuit.

Maggie décida qu'elle finirait de pendre le linge le lendemain matin. Et qu'il lui faudrait être vigilante. Les sœurs Bliss pourraient bien avoir une mauvaise influence sur sa fille...

Ayant emprunté le stupide chien au nez plat de Missy, Ella téléphona au jeune vétérinaire, dont la clientèle ne cessait de s'étendre dans tout le comté.

— Pardonne-moi, petite sœur, dit Louisa en se tordant nerveusement les mains, mais cette fois, j'ai peur que tu ne sois allée un peu trop loin !

Elle lorgna vers l'escalier menant au grenier, comme si elle craignait de voir descendre Maggie.

— Ce n'est pourtant que le début ! riposta Ella. Si cela ne marche pas avec le vétérinaire, j'essaierai le garagiste.

— Et pas le Dr McGregor ?

— Non. J'ai changé d'avis.

Ella ne jugea pas utile d'évoquer la petite amie que le docteur avait à Barstow, ni la quantité importante d'alcool qu'il achetait chaque semaine. Gallie, la petite-fille de Grace, travaillait à l'hôpital et, à ce titre, avait accès à nombre d'informations intéressantes de ce genre.

Lou n'exigea pas d'éclaircissements. Elle se contenta de considérer le petit chien enfermé dans sa cage en plastique, qu'Ella venait de déposer sur le plancher du salon.

— Tu crois qu'il est bien là-dedans ?

— Tout à fait !

— On devrait peut-être lui faire faire une petite promenade pour lui dégourdir les jambes. Il aime marcher, tu sais... Je n'aurais jamais cru qu'il pourrait rester ainsi enfermé sans aboyer !

— Mademoiselle Ella ?

— Oui ?

Maggie était au pied de l'escalier, portant à bout de bras une grosse boîte de carton. De toute évidence, elle voulait s'enquérir si son contenu avait une quelconque valeur sentimentale. Elle aurait pu descendre à un moment plus propice, pensa Ella. Bah ! Il allait bien falloir s'en arranger.

— Oh, Maggie, ma chérie, venez voir ce que nous avons !

— Un chat ?

La jeune femme abandonna sa boîte en carton et s'approcha de la cage.

— Certainement pas ! repartit Lou avec un petit rire. Ella n'a jamais beaucoup aimé les félins. Elle dit qu'elle ne veut pas passer pour une vieille sorcière entourée de chats, mais moi j'aimerais bien…

Un coup de sonnette interrompit la vieille dame.

— Mon Dieu ! s'écria Ella en se précipitant vers la porte d'entrée. Je me demande qui cela peut bien être !

Elle savait très bien, en revanche, qui elle aurait *préféré* que cela fût… L'homme qui se tenait sur le perron n'était pas en effet celui qu'elle attendait. Malgré sa déception, elle n'avait d'autre choix que l'inviter poliment à entrer pour se protéger du froid.

— Bonté divine ! Gabe O'Connor !

— Gabe ? répéta Lou en fixant Maggie, comme si cette dernière allait lui fournir une explication.

Maggie parut à la fois surprise et plutôt contente, ce que Ella trouva intéressant — même si Gabe, selon elle, n'était pas l'homme qu'il lui fallait.

— Bonjours, mesdemoiselles ! dit le visiteur d'une voix innocente, mais dont Ella ne fut pas dupe.

— C'est un plaisir... inattendu, dit-elle, les bras croisés sur sa poitrine peu généreuse.

Toutefois c'était Maggie que Gabe regardait.

— Je vais chercher les enfants à l'école, lui lança-t-il. Veux-tu que je prenne aussi les tiens ?

La jeune femme consulta sa montre et fronça les sourcils.

— Je ne pensais pas qu'il était si tard...

Ella, qui savait exactement quelle heure il était, s'efforça de pousser Gabe vers la sortie.

— Je suis sûre que Maggie serait très heureuse que vous alliez chercher ses filles à sa place. Et laissez-les devant la porte : il est inutile que vous entriez une seconde fois !

— Ella ! se récria Louisa en dardant sur elle un regard outré.

— Je peux les ramener moi-même, intervint Maggie. J'avais seulement oublié l'heure.

— Il n'y a pas de problème, puisque j'y vais de toute façon, rétorqua Gabe en la dévorant des yeux. Cela t'épargnera un aller et retour...

— Dans ce cas, répliqua-t-elle en rougissant, merci !

Ella n'augura rien de bon de l'émoi de Maggie, et poussa de nouveau vers la sortie ce cow-boy à la stature imposante.

Juste à cet instant un jeune homme apparut sur le perron. Dieu soit loué !

— Par exemple, regardez qui arrive ! minauda Ella. Ce charmant vétérinaire !

Elle fit entrer un jeune homme très grand et très mince, et le conduisit aussitôt dans le salon.

— Docteur Hathaway, je présume ?

— Oui, madame. Appelez-moi Ben, je vous en prie.

Lorsqu'ils se posèrent sur Maggie, les yeux du jeune homme s'agrandirent, ce qui, cette fois, était d'excellent augure, décréta Ella. Certes, nuança-t-elle immédiatement, il aurait été préférable qu'il ait l'air de dépasser vingt-cinq ans… Enfin ! Il ne fallait jamais juger sur les apparences.

— Je suis Ella Bliss. Voici ma sœur Louisa, et une de nos meilleures amies, Maggie Moore, qui nous aide à retrouver des meubles anciens de valeur dans notre gre…

— Et moi, je m'appelle Gabe O'Connor, coupa le rancher en tendant la main au vétérinaire. Je crois que nous nous sommes rencontrés il y a quelques semaines dans le ranch d'Owen Chase.

— C'est vrai ! se souvint le jeune homme. Comment va son cheval ?

— On ne peut mieux, assura Gabe.

A bout de patience, Ella poussa discrètement Ben près de Maggie, très séduisante avec ses cheveux tombant librement sur ses épaules. Un des boutons de son chemisier était défait, révélant un peu de chair nue. C'était loin d'être une mauvaise chose, se dit Ella — sauf si ce n'était pas la bonne personne qui le remarquait.

— C'est le petit chien qui est malade, annonça Ella. Il est complètement apathique, et nous sommes contraintes de le veiller à tour de rôle.

— Pourriez-vous le sortir de sa caisse, que je puisse l'examiner ?

Le jeune vétérinaire avait un sourire si avenant…

— Bien sûr ! Lou, veux-tu…

— Réflexion faite, interrompit de nouveau Gabe en prenant le bras de Maggie, tu ferais mieux de venir avec moi. L'institutrice ne voudra peut-être pas me confier tes filles.

— Je pourrais écrire un petit mot…

— Non. Laissons les deux sœurs et leur petite boule de poils blancs entre les mains du Dr Hathaway.

O rage ! O désespoir !

Ella ne put masquer son dépit en voyant partir Maggie et Gabe.

— Oh, mon Dieu ! marmonna Lou.

— Ce n'est pas grave, chuchota Ella comme le jeune vétérinaire accrochait son manteau. Elle ne va pas tarder à revenir, et alors…

— Non, ce n'est pas cela, dit Lou en prenant le petit chien dans ses bras. Le pauvre chéri s'est fait pipi dessus !

6.

— Gabe, pour l'amour du ciel !

Maggie inspira profondément l'air glacial et s'arrêta net sur le perron des demoiselles Bliss.

— Pourquoi es-tu si pressé ?

Gabe s'immobilisa sur une marche.

— Je ne suis pas pressé !

— Qu'es-tu venu faire exactement ?

Magie se demandait s'il avait perdu l'esprit. Jusqu'à l'avant-veille, ils ne se parlaient jamais, et voilà qu'il voulait lui rendre service !

— Rien de spécial, répondit-il.

Mais tous deux savaient qu'il mentait.

— Je ne bougerai pas tant que tu ne m'auras pas dit la vérité !

Elle reprit illico, tandis qu'une vague de panique la submergeait :

— Seigneur ! Les petites ont eu un problème, n'est-ce pas ? L'école t'a envoyé me chercher ?

— Grands dieux non, Maggie ! s'exclama-t-il, l'air renfrogné, en revenant à grandes enjambées vers la jeune femme.

Avant que celle-ci ait pu se rendre compte de ce qu'il faisait, Gabe lui saisit les bras. Puis sa bouche — cette bouche si séduisante — se posa sur la sienne. Ce fut un baiser bref et fougueux qui, s'il était très différent de ce qu'elle avait imaginé, ne la fit pas moins frissonner jusqu'au bout des orteils.

— Voilà ! dit-il.

Sans desserrer son étreinte, il gardait les yeux plongés dans les siens.

— Voilà *quoi* ?

Il jura, ce qui amusa Maggie. Elle ne l'avait jamais vu en colère, déconcerté, ou même à court de mots, sauf peut-être au lycée, le jour où Calder avait versé de la bouse de vache fraîche dans son casier.

— C'est bien fait pour ces deux vieilles sorcières ! Il est trop jeune pour toi, nom d'une pipe !

— Qui cela ?

Il la tenait toujours dans ses bras : il y avait donc encore une chance pour qu'il l'embrasse de nouveau, se dit Maggie. A moins que ce fût elle qui l'embrasse à son tour, pour tenter de lui faire abandonner son air sombre…

— Hathaway.

— Le vétérinaire ?

Quel rapport pouvait-il y avoir entre ce jeune homme et le baiser de Gabe ?

— Ouvre les yeux ! l'enjoignit ce dernier, revenant à un ton plus habituel. C'était un piège !

— Tu veux dire que Mlle Ella voulait me faire rencontrer le véto ? Comme c'est charmant ! Je m'étonnais aussi de voir ce chien dans le salon !

Elle n'aurait pas parié que le jeune homme embrassât aussi bien que Gabe, même si ses baisers étaient sans doute plus longs.

— Recommence, je t'en prie !

— Recommencer quoi ?

— A m'embrasser !

— Pourquoi ?

— C'était… pas mal. Tu ne m'avais jamais fait cela auparavant.

— Désolé, s'excusa-t-il en desserrant son étreinte, ce n'est pas une bonne idée.

Il recula d'un pas.

— Les marieuses t'ont prise pour cible, Maggie. Si tu n'y prends garde, ce gamin va te passer la bague au doigt !

La jeune femme ne put s'empêcher de rire.

— Vraiment, Gabe, je suis assez grande pour me défendre toute seule !

— Même *Calder* n'a pas été capable de se défendre tout seul ! Pas davantage qu'Owen qui, lui, ne sortait avec personne ! Et toi, cela fait si longtemps que tu vis seule…

— Tu veux dire que les hommes me manquent tellement que je suis prête à tomber dans les bras du premier type qui m'inviterait gentiment à dîner ?

Gabe commençait à l'ennuyer, même si elle avait apprécié son baiser. D'autant plus que, telles que les choses semblaient se présenter, ce premier baiser serait aussi le dernier…

— Heu… ma foi, oui, avoua-t-il.

— A mon avis, tu ferais mieux de te mêler de tes affaires ! s'exclama-t-elle en fouillant dans ses poches, dont elle ne tarda pas à sortir les clés de la voiture de sa mère. Certes, je ne refuserais peut-être pas de sortir avec quelqu'un de plus âgé que ma fille de huit ans ! Peut-être même ne serais-je pas insensible au contact d'un corps ardent contre le mien, dans un lit bien chaud…

Elle passa devant lui sans le regarder et descendit les marches, puis, sans se retourner, traversa la pelouse jusqu'à la voiture de sa mère. Ce fut seulement après avoir refermé la portière et mis le contact qu'elle leva les yeux.

Gabe n'était plus là.

Maggie voulut croire que c'était mieux ainsi.

*
* *

— Elle est prête à faire l'amour avec n'importe qui ! soupira Gabe comme Calder lui versait une tasse de café.

— C'est tout à fait normal ! répliqua Cal. Elle est adulte, mon vieux. Et veuve. Et cela fait quatre ans qu'elle vit seule — du moins, nous le supposons. Elle est tout de même assez grande pour faire l'amour !

— Elle m'a parlé de dîners, de lits et de corps brûlants !

— Et alors ? Quel mal y a-t-il à cela ?

— Elles vont la mettre dans le lit d'Hathaway, qui paraît tout juste dix-huit ans ! s'indigna Gabe, qui jugeait tout à fait scandaleuse l'indifférence de son ami.

— Tant mieux : à cet âge, on jouit du maximum de sa puissance sexuelle ! fit observer Calder en rangeant la cafetière. Tu veux des beignets ?

— Non, merci.

Visiblement, cette simple allusion à la puissance sexuelle d'Hathaway venait de couper l'appétit du rancher.

— Je dois retrouver les enfants dans une demi-heure au café, pour manger des burgers, expliqua Gabe. Ils ont passé l'après-midi à acheter des cadeaux de Noël…

Puis, jetant un coup d'œil à l'extérieur, il remarqua pour la première fois les petites ampoules blanches et vertes disposées autour de la vitrine de la pâtisserie.

— C'est joli.

— Je trouve aussi. Lisette s'en est occupée ce matin.

— Demain, il faut absolument que je trouve un sapin de Noël à tout casser.

— Nous décorons le nôtre ce soir. Et nous aurons du chocolat chaud et des pâtisseries en forme de sapin !

— Ce sera une soirée très familiale…

— Ouais. La vie conjugale me convient parfaitement.

— J'en suis ravi, dit Gabe en toute sincérité.

Il n'avait jamais vu Cal aussi bien dans sa peau. Il n'aurait pas pu en dire autant… Il résolut de faire une nouvelle tentative pour alerter son ami.

— Si elle ne fait pas l'amour avec Hathaway — si elle ne l'épouse pas — elles vont continuer à la harceler jusqu'à ce qu'elle se retrouve mariée avec n'importe qui, peut-être même à un goujat comme Jeff !

— Ce n'est pas sûr du tout ! Maggie n'est pas du genre à faire quelque chose sur un coup de tête.

— Cela ne l'a pas empêchée d'épouser Moore ! marmonna Gabe. N'importe qui aurait pu s'apercevoir que cela ne pouvait pas marcher !

— Pour sûr ! approuva Cal. Elle n'a pas fait le bon choix, et toi non plus. Et maintenant qu'elle recommence à penser aux hommes, tu es mort de jalousie. Comment analyses-tu cela, O'Connor ?

— Ce n'est pas du tout ce que tu crois !

— Ah bon ?

— Pas du tout !

Calder ignora cette dénégation véhémente.

— Tu ferais mieux de te mettre sur les rangs, mon gars.

— Moi ?

— Bien sûr ! De qui crois-tu que je parle ?

— Je ne m'intéresse pas à Maggie. Pas de cette manière, en tout cas…

Même s'il était loin d'avoir oublié la douceur de ses lèvres, sa poitrine qui s'était soulevée sous l'effet de la surprise, et… le fait qu'elle ne s'était pas écartée de lui. A quelques millimètres près, ses seins auraient touché son torse — à travers plusieurs épaisseurs de vêtements, certes… Mais, tout de même, ils l'auraient touché.

— … c'est mon amie, voilà tout !

Une amie qu'il aimerait embrasser une nouvelle fois. Et caresser. Et… Et puis zut !

— Hum…

De toute évidence, Cal n'en croyait pas un mot.

— Je ne veux pas la voir souffrir de nouveau, Cal.

— Personne ne veut la voir souffrir ! Ni toi, ni moi, ni Owen. Néanmoins elle est libre de coucher avec qui elle veut, que cela te plaise ou non.

Là-dessus, Cal apposa l'écriteau « fermé » sur la porte de la pâtisserie.

— Je n'aime pas que les marieuses s'occupent d'elle. Est-ce si difficile à comprendre ? se justifia Gabe en posant sa tasse vide sur le comptoir de plexiglas.

— Tiens donc ! dit Cal d'une voix traînante. Tu ferais mieux de te demander pourquoi tu es dans tous tes états, là, soudainement. Avant mon mariage, Maggie et toi, vous évitiez toujours soigneusement de vous retrouver dans la même pièce.

— C'était parce que je me sentais coupable de ce qui s'était passé.

Gabe prit son Stetson et ses gants de cuir, mais, au moment de quitter la pâtisserie, il hésita.

— Je crois aussi que j'en voulais à Maggie. J'avais tort. J'aurais dû rester bon ami avec elle.

— Maggie a plus d'amis qu'il ne lui en faut, répliqua Cal. Si tu ne lui fais pas la cour, occupe-toi de tes oignons !

Excellent conseil, se dit Gabe. Dorénavant, il ne dirait plus un mot à son sujet.

Cela ne serait guère facile, cependant… Eh ! c'était la deuxième fois en deux heures qu'on lui disait de se mêler de ce qui le regarde. Qu'est-ce qu'ils avaient donc tous ?

*
* *

— Mademoiselle Ella, il faut écouter plus attentivement ! sermonna Georgie.

— Je parie que ton institutrice te dit cela à longueur de journée, ma petite demoiselle ! fit Ella en posant un verre de lait devant la petite fille, sur la table de la cuisine.

— Oui, mais…

— Et tu écoutes mieux, après ?

— Quelquefois, répondit l'enfant en roulant les yeux.

— Ta maman a fini son travail au grenier, mais elle reviendra demain matin pour régler la question financière, et nous aurons le temps d'en reparler.

Peut-être Maggie acceptera-t-elle de faire visiter sa grange au vétérinaire, songea Ella. Après s'être occupé du petit chien, ce dernier avait confié à Louisa qu'il aimait les antiquités… Cette stupide boule de poils avait une infection de la vésicule, et Louisa était allée la rendre à Missy. Connaissant sa sœur, Ella savait qu'elle ne rentrerait pas avant l'heure du souper. Ensuite, devant leur rôti à la cocotte et leurs pommes de terre bouillies, Louisa ne manquerait pas de lui distiller tous les potins du voisinage…

— Merci pour le lait, dit Georgie avant d'en boire une gorgée. Vous allez parler de M. O'Connor, n'est-ce pas ?

— Je ne sais pas encore.

Comment expliquer à une enfant de huit ans que M. O'Connor devrait se débrouiller tout seul pour trouver une nouvelle femme, car la précédente avait volé le papa de Georgie ?

— Mais c'est *lui* que je veux !

— On ne peut pas toujours avoir ce qu'on veut dans la vie, ma chérie.

Son propre père n'avait pas permis à Mac Brown de lui présenter sa demande en mariage, se souvint Ella, en vertu de sa profonde méfiance à l'égard des cow-boys et des ranchers.

Il se retournerait dans sa tombe s'il apprenait que Mac et elle se fréquentaient enfin, soixante ans plus tard !

— Si, on peut ! protesta la petite.

Ignorant complètement l'expression sévère d'Ella, Georgie lui adressa un sourire radieux.

— En es-tu sûre ?

La petite fille hocha la tête avec aplomb.

— Nous avons soupé avec Kate et Joe hier soir. Tous ensemble. C'était super.

— Doux Jésus ! soupira Ella.

— Et maman va débarrasser leurs deux hangars, dès qu'elle aura un pick-up.

— Un pick-up, répéta Ella. C'est vrai, le vôtre est tombé en panne…

— Oui, mais on économise pour nous en acheter un bleu. C'était celui du ranch de Joe, mais ils en ont acheté un neuf. Maman dit que nous n'avons pas encore assez d'argent.

— Eh bien…

Ella se rappela alors avoir déjà entendu parler d'un pick-up bleu, et jeta un coup d'œil sur la maison voisine. Il était grand temps que l'ancien petit ami de sa sœur se rende enfin utile…

Maggie avait toujours du mal à se lever le matin. Surtout après une nuit passée à se souvenir du baiser de Gabe et à se demander s'il s'agissait d'un événement fortuit. Ou bien si — éventuellement — cet homme la remarquait enfin après tant d'années…

Cependant, quand l'homme en question sonna à sa porte à 6 h 30 du matin — alors qu'elle avait eu tout juste le temps de se brosser les dents et de commencer à préparer le café — Maggie n'eut aucune envie de le faire entrer. Elle resserra la ceinture de sa robe de chambre de satin bleu, et regretta d'avoir eu la légèreté de l'acheter. Ce vêtement vaporeux ne lui tenait absolument pas chaud ; il lui donnait juste l'impression d'être une star de cinéma — c'était même là son unique avantage.

Tel n'était pas le cas ce jour-là, à l'aube, tandis qu'elle observait Gabe à travers la porte vitrée. Le vent glacial avait donné à ses joues une belle couleur vermeille, et il semblait debout depuis des heures. Elle fit glisser le verrou et ouvrit la porte.

— Bonjour, Maggie. Tu fais du café ?

— Je viens de le mettre en route, répondit-elle en s'effaçant pour le laisser entrer.

Elle faillit s'absenter cinq minutes afin de s'habiller, mais jugea préférable de lui laisser croire qu'elle ne se préoccupait pas de son apparence physique, ni de ce qu'il pourrait en penser. Cela ne l'empêcha tout de même pas de se lisser les cheveux et de se défaire de ses pantoufles roses — dont aucune star de cinéma, fût-ce la plus excentrique, n'aurait voulu… Puis elle remplit deux bols de café et les posa sur la table.

— Un nuage de lait ?

— Non. Je le préfère noir.

— Tu peux t'asseoir, tu sais.

De cette manière, pensa-t-elle, il paraîtrait moins grand, moins « Rancher du Montana » fort, sexy et fleurant bon le foin et le grand air.

— Merci, Maggie.

Sans ôter son manteau, il se coula sur une des chaises de fer et se mit à fixer la table de verre comme s'il la croyait trop fragile pour résister au poids de son bol de café.

— Je l'ai fabriquée avec du matériel destiné à équiper les vérandas ou les verrières, expliqua-t-elle en s'asseyant à quelque distance de lui. J'avais trop envie de voir ce que cela pouvait donner dans une cuisine.

Gabe dut reconnaître que ce meuble en fer forgé redonnait vie aux vieux murs peints à la chaux et au plancher vermoulu. Des rideaux à fleurs masquaient la grande baie vitrée donnant sur la cour, et le même tissu avait servi à la fabrication des coussins placés sur chacune des chaises.

Se demandant manifestement s'il ne se trouvait pas en pays étranger, le rancher embrassa la pièce d'un regard circulaire.

— C'est très joli, Maggie. Tu as fort bien arrangé cette vieille bâtisse.

— Merci. Je te la ferai visiter dès que le soleil sera levé.

Il eut un sourire nonchalant et la jeune femme désira aussitôt sentir ses lèvres sur les siennes… tout en s'avisant qu'elle ne portait vraiment pas grand-chose sous sa robe de satin.

— Tu étais toujours un peu de mauvais poil, le matin, dans le bus de l'école…

— Je n'ai pas changé.

— Si, tu as changé, assura-t-il en caressant sa robe des yeux.

— Pourquoi es-tu venu, Gabe ?

— Parce que nous sommes voisins, et parce que… Comme cela, sans autre raison… Enfin, si…

Malgré son mal de tête, elle n'était pas encore tout à fait réveillée et, dans dix minutes, lorsque les enfants se lèveraient, il lui faudrait être au mieux de sa forme.

— Gabe, la caféine ne m'a pas encore fait d'effet, alors, si tu pouvais éclairer un peu ma lanterne…

Un instant, la jeune femme crut qu'il allait la prendre dans ses bras, lui dire qu'il ne pouvait vivre sans elle et l'embrasser comme un fou, mais elle repoussa bien vite ce fantasme. Gabe n'était pas du genre passionné —et il était tout bonnement impossible qu'elle, Maggie Johnson, fût l'objet de telles effusions de sa part. Son baiser de la veille, indubitablement, n'avait été qu'un moment d'égarement. Il ne se reproduirait pas.

Un délicieux moment d'égarement. Hélas…

— Maggie, je… je t'ai apporté le pick-up. Tu peux l'emprunter jusqu'à ce que le tien soit réparé, ou bien l'acheter tout de suite.

— Gabe, je n'ai que faire de ta charité !

— Peut-être, mais tu ne peux pas te passer de moyen de transport ! Et il ne s'agit pas de charité. C'est de l'entraide entre voisins.

— Je croyais que nous avions déjà discuté de cela !

Maggie étouffa un bâillement. Dormait-elle encore ? Tout ceci n'était peut-être, après tout, qu'un rêve bizarre.

— Vraiment, je ne puis…

Une série de coups de klaxon interrompit la jeune femme.

— J'ai dit à l'un de mes employés de venir me chercher au bout d'un quart d'heure, fit Gabe. Je pensais qu'il valait mieux prévoir une échappatoire au cas où mon offre te rendrait folle de rage.

— Je ne t'en veux pas, mais je n'ai pas besoin de ton aide !

— Je vais lui dire de m'attendre quelques minutes, répliqua-t-il, tandis que tous deux se levaient ensemble.

— Non. Pars plutôt avec le pick-up !

Maggie n'ignorait pas qu'elle se comportait de façon insensée. Toutefois elle se refusait à accepter quelque chose sans être sûre de pouvoir s'acquitter de sa dette. Elle avait toujours vu ses parents agir ainsi, eux qui n'avaient jamais eu assez d'argent pour mettre un sou de côté.

— Je t'en prie, Gabe…

Le coup frappé à la porte parut à Maggie une heureuse diversion…

L'homme qui se trouvait sur le seuil de sa maison lui était inconnu. Car, ne l'eût-elle vu qu'une fois, elle ne l'aurait certainement pas oublié ! De nouveau, elle se sentit trop exposée dans sa robe bleue de satin. Si elle devait continuer à avoir ainsi des visiteurs avant le petit déjeuner, il lui faudrait acheter de toute urgence une robe de chambre en tartan écossais. Et très, très épais.

— Bonjour, m'dame ! lança un grand jeune homme brun et d'une incroyable beauté. J'espère que je ne suis pas venu trop tôt !

— Trop tôt pour quoi faire ? s'enquit-elle en croisant les bras devant sa poitrine.

S'il s'agissait d'un meurtrier ou d'un violeur, pensa-t-elle, Gabe saurait sans doute la protéger…

— Pour livrer votre cadeau de Noël ! répondit le jeune homme en lui tendant deux clés.

— Mais il est déjà arrivé !

Prenant tout de même les clés, Maggie se tourna vers Gabe, qui s'était levé.

— Gabe, tout ceci est vraiment compliqué et je ne puis…

— A qui avons-nous l'honneur ? demanda Gabe en posant la main sur l'épaule de Maggie, comme pour faire bien comprendre au visiteur qu'elle lui appartenait.

— Rob Gladding, repartit-il en entrant dans la cuisine sous l'œil courroucé de Gabe.

— Vous ne travaillez pas pour Gabe ?

— Non, m'dame.

Ses yeux étaient presque aussi noirs que ses sourcils, et il aurait pu jouer les doublures de Tom Cruise.

— Il fait bien moins quinze ce matin, mais votre pick-up a démarré au quart de tour. Il a déjà parcouru soixante mille kilomètres, cependant… vous ne risquez pas de tomber en panne. J'ai fait une révision complète.

L'homme souriait, tout à fait à l'aise. Livrait-il des pick-up tous les matins à des femmes en robe de chambre ?

— *Mon* pick-up ?

— *Son* pick-up ?

Rob accentua son sourire, découvrant une double rangée de dents parfaitement blanches.

— Je suis le nouveau propriétaire du garage de la ville. Je l'ai acheté à M. Cameron, qui m'a dit que madame Moore voulait essayer ce véhicule.

— Maggie ? s'étonna Gabe.

— C'est une superbe Toyota Tacoma, avec cabine élargie et couchette. C'est bien ce pick-up que vous désiriez essayer ?

— Non, fit Maggie en lui rendant les clés. Je crois qu'il y a erreur.

Rob eut l'air tellement déçu que la jeune femme le prit en pitié.

— Entrez donc et prenez un café. Nous serons plus à l'aise pour démêler ce sac de nœuds…

— C'est très gentil de votre part, madame, mais quelqu'un m'attend pour me ramener au garage.

Il hésita, puis rendit les clés à Maggie.

— Gardez le pick-up pendant quelques jours. Testez-le, et si vous changez d'avis, vous savez où me trouver. La nuit comme le jour.

Il lui fit un clin d'œil, puis tourna les talons et descendit l'allée. Maggie referma la porte et Gabe cessa de lui étreindre les épaules.

— Qui diable était-ce ? rugit-il.

— Il s'est présenté. Tu veux un peu plus de café avant de partir ?

— J'ai comme le sentiment que ce sont les marieuses qui ont dépêché ce type ! grommela-t-il.

— Je dois voir Ella aujourd'hui. J'en profiterai pour tirer cette affaire au clair... Tu n'as vraiment aucune raison de t'inquiéter.

— Je ne m'inquiète pas, prétendit-il en prenant la main de la jeune femme.

Cette dernière eut le plus grand mal à s'empêcher d'éclater de rire : elle aurait juré que Gabe était jaloux du jeune homme et de son sourire enjôleur...

— Je ne crois pas du tout, reprit-il, qu'il faille laisser ces vieilles dames te pousser à faire une chose pour laquelle tu n'es pas prête !

— De quelle chose parles-tu ? demanda-t-elle d'un air de défi que Gabe ne manqua pas de remarquer.

— De celle-ci !

Il la prit par la taille et la serra contre lui. Ce qui était une excellente idée, selon Maggie, bien qu'il portât autant de vêtements qu'un explorateur en route pour le Pôle Nord... Puis il enfouit ses grands doigts dans ses cheveux, avant de plaquer sa bouche sur la sienne. Maggie sentit ses genoux se dérober sous elle. Lorsqu'il introduisit sa langue entre ses lèvres, elle s'agrippa aux poches de sa veste en peau d'agneau. Il explora longuement sa bouche, comme s'il ne pourrait jamais se rassasier d'elle... Sa langue était brûlante et exigeante, donnant à Maggie un aperçu de ce qu'elle éprouverait si elle faisait l'amour avec lui — du moins, c'est ce qu'elle pensa dès que la passion qui la submergeait fut un peu dissipée... Il l'adossa contre le réfrigérateur et pressa tout son corps contre le sien... La jeune femme se souvint alors du vide de son lit — et de son propre corps — et, en même temps, songea au moyen de les combler tous deux…

Las ! brusquement, il s'écarta d'elle.

— Les enfants ! dit-il, tandis que tous deux reprenaient haleine.

En effet, des bruits de pas se faisaient entendre à l'étage, et l'on tira la chasse d'eau. Gabe se saisit de son chapeau et posa un trousseau de clés sur le comptoir.

— Je vais attendre Hank dehors.

Maggie ne dit rien, s'efforçant d'apaiser son corps brûlant et de revenir à un comportement plus ou moins normal avant que les gosses ne fissent irruption dans la cuisine. La main sur le bouton de porte, Gabe se retourna et l'examina de la tête aux pieds.

— Chérie, dit-il avant de sortir, tu as une tenue d'enfer !

— Merci.

Après deux pick-up, deux hommes et un baiser brûlant, Maggie n'avait plus du tout l'intention de se séparer de sa robe de starlette…

7.

— Thé ?

Louisa tendit à Maggie une tasse de porcelaine ; le parfum familier du jasmin embaumait déjà toute la pièce.

Ella préférait le café et ne se priva pas de le faire savoir.

— Une petite seconde, Ella, répliqua sa sœur. Je veux que notre hôte soit servie la première. Vous voulez du sucre ou du miel, ma chérie ?

— Ni l'un ni l'autre, mademoiselle Louisa. Je…

— Alors, comment avez-vous trouvé notre nouveau vétérinaire ? demanda Ella, impatiente d'entrer dans le vif du sujet.

Maggie ayant achevé le nettoyage du grenier des deux vieilles dames, c'était sans doute leur dernière chance de parvenir à leurs fins.

— Il a l'air très gentil, mais je vous ai déjà dit que je ne suis pas…

— … intéressée, acheva Ella. Certes, vous nous avez dit cela hier soir… je pensais que la nuit vous porterait conseil. Vous n'avez donc pas le moindre animal dans votre ranch ?

— J'ai un cheval. Un cheval en *excellente* santé.

Ella se versa une tasse de café.

— Un homme qui sait soigner les animaux est certainement très pratique dans nos régions, dit-elle. Et je suis sûre qu'il s'y connaît aussi en anatomie humaine…

— Ella ! protesta Louisa. Ne la harcèle pas !

— Je ne harcèle jamais personne ! Je ne fais que répéter les vérités d'évidence jusqu'à ce que tout le monde tombe d'accord avec moi !

— Je sais ! soupira Louisa.

— Mademoiselle Ella !

Maggie reposa sa tasse sur le napperon de lin blanc et les regarda d'un air courroucé.

— Mon Dieu ! s'exclama Ella. Vous êtes fâchée contre nous ! C'est à cause du pick-up ?

— Nous n'aurions pas dû faire cela, admit Lou. C'était un peu osé de notre part, je le reconnais… Eh ! c'était pour la bonne cause. Et Cameron désirait tellement aider ce jeune homme qui vient d'arriver dans cette ville et ne connaît presque personne ! Il était très heureux de vous confier ce pick-up. Il était prêt à vous consentir un prix très avantageux…

— Je sais, mais…

— Le bruit court que M. Gladding a très belle allure, poursuivit Ella. Il a réparé les freins de Grace Willow, qui ne tarit pas d'éloges sur lui !

— Et son âge est plus proche du vôtre que celui du vétérinaire, renchérit Lou. Même s'il n'y a rien à redire à épouser un homme plus jeune que soi. Ou plus vieux, d'ailleurs.

— Ne parlons pas des hommes âgés, dit Ella, qui avait remarqué le regard que sa sœur avait lancé à la voiture de Cameron stationnée dans l'allée. Comment trouvez-vous ce pick-up ?

— Je ne sais trop qu'en penser, hasarda Maggie — ce qui déçut beaucoup Ella. Je vais tout de suite au garage afin d'en parler avec M. Gladding. Ce matin, je n'ai rien compris à ce qui m'arrivait… ajouta-t-elle en souriant. Gabe subodorait que vous étiez derrière tout cela. Si je comprends bien, il avait raison ?

— Gabe O'Connor se trouvait chez vous ? s'alarma Ella.

— Oui. Il venait de m'apporter… Enfin, cela n'a aucune importance. Mademoiselle Ella, vous devez entendre une fois pour toutes que, pour l'instant, je ne cherche pas à me marier. Et que je ne changerai peut-être jamais d'avis !

— Quel dommage ! gloussa Lou. C'est du gaspillage, voilà ce que c'est !

— Mademoiselle Louisa…

— Ne faites pas attention à ma sœur, coupa Ella. Elle s'en remettra. Il y a encore tant de possibilités… Ah, j'aurais pourtant juré que la livraison de ce pick-up aurait éveillé votre intérêt…

— C'est très gentil d'avoir pensé à moi, mais je suis assez grande pour m'occuper de mon pick-up toute seule !

— Je vois…

Ella marqua une pause, puis résolut de jouer le tout pour le tout.

— Dites-moi, où achetez-vous vos médicaments ?

Maggie se renfrogna.

— Je ne sortirai jamais avec Lyle Lundberg, même pour toute l'aspirine du Montana !

— Il se construit une nouvelle maison, murmura timidement Lou.

— Et je suis bien certaine que ce sera une très belle maison, maugréa Maggie. Mais j'ai deux filles à élever et un commerce à faire marcher, ce qui ne me laisse absolument pas le temps de sortir !

— Oh, mon Dieu ! grimaça Lou. Ne vous énervez pas !

— Je ne m'énerve pas. Pas vraiment. Je sais bien que vous n'avez que de bonnes intentions, néanmoins je ne crois pas que mes filles apprécieraient que je les laisse à une baby-sitter pour aller danser avec des garagistes, des vétérinaires et autres pharmaciens !

— Bien sûr, bien sûr…

Ella résista à la tentation de faire remarquer que ce qui importait aux filles de Maggie, c'était assurément d'avoir un père, quelle que soit sa profession. Il était inutile de se mettre la jeune femme à dos, alors que sa sœur et elle-même se trouvaient encore si loin du but.

— J'espère que je ne vous ai pas froissées, dit Maggie en se levant. Je suis seulement trop occupée en ce moment pour fréquenter qui que ce soit.

— Certes, fit Lou. Peut-être que l'année prochaine…

La vieille dame ne termina pas sa phrase, et Maggie sourit sans mot dire. Elle prit son manteau sur le dossier du divan rouge foncé.

— Merci pour le thé. Et si je ne vous vois pas avant les fêtes, je vous souhaite un merveilleux Noël.

— Il le sera, assura Ella en l'accompagnant vers la porte. Et encore bravo pour votre travail. Je ne manquerai pas de vous rappeler lorsque nous déciderons de débarrasser le sous-sol.

Lorsque Maggie fut en bas du perron, Lou se tourna vers sa sœur.

— Quel terrible échec ! Georgie va être affreusement déçue…

— Pas du tout ! Nous n'allons pas renoncer si facilement !

— Mais Maggie a dit…

— Ce que Maggie peut dire n'a aucune importance ! répliqua sèchement Ella, agacée par la tournure que prenaient les événements. Hélas, j'ai bien peur qu'elle ne se soit entichée de ce rancher !

— Grands dieux ! se récria Lou en se servant une nouvelle tasse de thé. Le scandale…

— Quel scandale ? C'était il y a quatre ans ! C'est de l'histoire ancienne !

Puis elle ajouta, en considérant pensivement le portrait de son père accroché au-dessus de la cheminée :

— Il est grand temps de commencer à vivre dans le présent, je suppose !

— Tu ne veux pas dire que…

— Si ! Nous allons veiller à ce qu'elle épouse Gabe, et fissa !

— Je vais prendre les bleues ! dit Gabe à la vendeuse de La Mine de Diamants.

Il était sûr qu'elles seraient au goût de sa mère, qui, cet hiver, aux Bahamas, avait perdu ses boucles d'oreilles favorites en aigue-marine. Sa mère ne se privait pas de voyager, depuis qu'elle n'avait plus de ranch à diriger avec son mari.

Ce qui n'était certes pas le cas de Gabe. Il était bien trop nerveux en ce moment pour se concentrer sur les livres de comptes ou sur la pile de dossiers qui l'attendaient sur son bureau. Il avait donc décidé de ne pas attendre le dernier moment pour faire ses achats de Noël. Les enfants seraient en vacances dans deux jours — le vendredi soir — et Noël, cette année, tombait un lundi…

Il fit le tour de la petite boutique tandis que la vendeuse préparait un paquet cadeau pour les boucles d'oreilles. Il considéra un large éventail de bagues de fiançailles et d'alliances, qui, pensa-t-il, constituaient sans doute l'essentiel des revenus de cette boutique, dans une ville qui se considérait comme la gardienne de l'institution du mariage. Tous ces anneaux de diamant étincelaient à l'envi. Il n'en avait encore jamais acheté. Lorsque Carole était tombée enceinte, ils avaient dû préparer leur mariage en toute hâte et, de toute façon — à la grande déception de sa future épouse — il n'avait alors pas eu assez d'argent pour lui offrir un bijou, le cours du bœuf étant en chute libre.

Calder avait eu bien raison de lui répéter que sa femme ne pourrait jamais s'accoutumer à vivre dans un ranch, et qu'il l'épousait uniquement parce qu'il n'avait pas eu assez de jugeote pour utiliser un préservatif ! Carole s'était montrée tout aussi passionnée que lui — et même, plus expérimentée — et il avait préféré ne pas trop s'inquiéter de sa possible liaison avec Jeff Moore. Il était bien trop fier à l'époque de sortir avec la plus belle femme de la ville !

Vraiment, il s'était conduit comme un idiot…

— Monsieur O'Connor ?

Gabe se retourna. La vendeuse lui tendait un petit paquet enrobé de papier d'argent et surmonté d'environ cinq centimètres de ruban rouge.

— C'est prêt !

Décidé à effectuer le plus grand nombre de courses possibles — et à oublier que ces boucles d'oreilles avaient la couleur de la robe de satin de Maggie — Gabe se hâta vers la sortie.

Il avait brûlé du désir de caresser ses épaules et ses seins, sans attache et si attirants sous le fin tissu de sa nuisette… De passer le pouce sur les deux tétons qui le soulevaient si délicatement… Il s'était demandé comment serait Maggie si elle était seulement vêtue de sous-vêtements de soie, avec ses longues mèches blondes descendant librement sur ses épaules…

— Monsieur O'Connor, vous oubliez votre reçu !

— Oh, merci.

Il fourra le bout de papier dans sa poche. Il avait encore tant de choses à acheter : des jouets, une nouvelle selle pour

Kate, une bicyclette pour Joe, sans parler d'une série de pulls, de bottes et de chaussettes bien chaudes. Comme d'habitude, il lui suffirait d'envoyer à sa belle-mère un bouquet de fleurs assorties : elle avait déménagé à Barstow après la mort de Carole et ne faisait jamais elle-même de grosses dépenses à l'occasion des fêtes de Noël. D'autant plus qu'elle n'avait jamais pardonné à son gendre d'avoir mise sa fille enceinte.

Enfin, il faut être deux pour faire ce genre de chose, aurait dit son père. Gabe sentit l'air glacé lui mordre le visage. Il ne tarderait pas à neiger… Peut-être le froid calmerait-il ses ardeurs ! — et l'empêcherait-il de rêver que Maggie est dans son lit, à côté de lui, quand il se réveille… Et qu'elle est vêtue de satin bleu.

— Donne-moi une part de tarte aux poires, s'il te plaît.

Maggie voulait fêter dignement la fin de son travail chez les sœurs Bliss, qui avait été fort bien rémunéré. Lisette disposa la tarte sur un plat de porcelaine blanche.

— Moi aussi, ce sont mes préférées, dit cette dernière, qui donnait pourtant l'impression de ne jamais manger ses propres pâtisseries. J'ai même envie d'en prendre une avec toi, si cela ne t'ennuie pas.

— Avec grand plaisir. Tu as le temps ?

— L'heure de pointe est passée, et Mona n'est pas encore partie. Je peux donc m'asseoir cinq minutes.

Les deux amies s'installèrent autour d'une table en coin de salle.

— Comment te sens-tu à présent, Lisette ?

Maggie était l'une des rares personnes à savoir que Lisette avait fait une fausse couche quinze jours auparavant — ce qui avait retardé son mariage.

— Je ne me suis jamais mieux portée ! J'espère être bientôt de nouveau enceinte — en fait, le plus tôt possible. Le docteur n'y voit aucun inconvénient.

— C'est merveilleux ! Tu m'en vois ravie.

— Et toi, comment vas-tu ?

— Formidablement ! J'ai fini de débarrasser le grenier d'Ella Bliss, ainsi que l'un de ses hangars, et je viens de déposer son chèque à ma banque. Je vais pouvoir faire mes achats de Noël sans me sentir coupable !

— Félicitations ! Que vas-tu acheter ?

— Georgie veut des livres et du matériel de dessin. Je vais aussi lui offrir un pupitre que j'ai repeint dans la grange. Ce sera une surprise.

Elle but une gorgée de café très fort et ajouta :

— Quant à Lanie, elle jure ses grands dieux qu'il lui faut de nouvelles bottes de cow-boy et une liste interminable de jouets et de jeux…

— Tu vas acheter tout ça à Barstow ?

— Je crois que je peux tout trouver ici…

Elle hésita un instant avant de demander son avis à Lisette.

— Si je veux, je peux désormais m'acheter un véhicule d'occasion. Tu ne vas pas me croire : j'hésite entre deux pick-up !

— Oh, oh ! Cela a-t-il un rapport avec le nouveau vétérinaire ?

— Pas du tout ! Pourquoi ?

— Calder prétend que les marieuses essayent de te mettre en contact avec lui.

— J'ai dit à Mlle Ella qu'il était trop jeune pour moi, répliqua Maggie avec un sourire. Tu aurais vu sa tête !

— J'imagine ! Alors, d'où viennent ces pick-up ?

— Gabe m'en a apporté un qu'il veut vendre. Il m'a dit de l'emprunter jusqu'à ce que j'aie assez d'argent pour l'acheter, mais je ne trouve pas cela juste.

Et son refus avait tellement irrité Gabe qu'il l'avait embrassée, se souvint-elle. Passionnément.

— Qu'est-il arrivé au tien ?

— Il a perdu son silencieux comme nous revenions du mariage. C'est alors que Gabe a découvert que j'envisageais d'acheter celui qu'il avait mis en vente. J'ai une fille plutôt indiscrète...

— A cet égard, elles se ressemblent toutes !

— Le garagiste va me dire aujourd'hui si cela vaut la peine de mettre un nouveau silencieux.

Elle était presque certaine que la réponse serait négative. Quel soulagement ce serait de ne plus se faire de souci au sujet de ce vieux tas de ferraille ! Elle commencerait la nouvelle année avec un véhicule dans lequel elle aurait toute confiance, même s'il n'était pas flambant neuf. Si elle était assez économe, elle pourrait se payer quelque chose de vraiment solide.

— Et le second pick-up ? Aurais-tu un autre admirateur secret ?

— Tu ne le croiras jamais ! Un homme très *beau* a sonné chez moi ce matin. Nous n'avons que peu parlé ensemble, mais il m'a dit qu'il me donnait à l'essai une superbe Toyota Tacoma d'occasion, et que je pouvais la garder quelques jours avant de me décider.

— Moi qui pensais qu'il ne se passait jamais rien dans le Montana, et que j'allais m'y ennuyer à mourir ! Mais qui donc était ce très bel homme ?

— Rob Gladding. Il vient d'acquérir le garage.

— Ma tête à couper que les sœurs Bliss sont derrière tout ça !

— Oui. J'ai pourtant essayé de les dissuader de me chercher un mari...

— Tu n'as aucune chance d'y parvenir ! Regarde, aurais-tu jamais imaginé que Calder et moi...

— Jamais, c'est vrai. Quelle chance vous avez ! Vous êtes si heureux ensemble...

— Continue ton histoire ! Qu'a fait Rob ?

— Il est reparti en me laissant le pick-up. Gabe était fou furieux.

— Hum, tu rougis ! Je ne te demanderai pas ce que Gabe faisait chez toi ce matin-là. Cela fait longtemps que tu le connais ?

— Depuis l'âge de six ans. Peut-être même avant.

— Et vous deux, vous n'avez jamais...

— Non. Il m'a toujours considérée comme une amie, une copine...

— Je présume que tu n'as pas éternellement ressemblé à ses copains ! ironisa Lisette.

Maggie but une autre gorgée de café et décida qu'il était temps d'attaquer la tarte — tant pis pour les calories en trop...

— Pour lui, si. Il ne m'a jamais regardée autrement.

— C'est vraiment incroyable !

Maggie haussa les épaules.

— Il était fou de Carole Walker. Il l'avait toujours été. Elle était très jolie, intelligente et élégante — je parie même qu'il la jugeait trop bien pour lui !

Tant qu'il ne s'était pas aperçu qu'elle le trompait...

— Elle était sympathique ?

— Pas vraiment.

Lisette avait l'air si passionnée par son histoire que Maggie ne put se garder de sourire.

— Calder et moi, nous allons bientôt organiser une petite soirée, dit la jeune mariée en s'emparant de sa fourchette. En l'honneur de Noël. Fais-moi cette fleur : habille-toi très court — pour qu'un certain rancher remarque enfin la différence qu'il y a entre toi et ses copains…

S'habiller court ? L'idée était séduisante. La friperie avait tout un rayon de tenues de soirée. Et avec le collier en strass de tante Nona…

— Prends une robe de velours noir, dit Lisette d'un ton rêveur. Les hommes adorent le velours.

— Je ne savais pas ça !

Il y avait tant de choses qu'elle ignorait… Pourquoi Gabe avait de nouveau une si grande place dans sa vie, par exemple !

— Ma tante m'a aussi conseillé le velours noir, reprit Maggie.

— Alors, l'affaire est entendue !

— J'irai probablement l'acheter à Barstow. Quand donnes-tu ta soirée ?

— Vendredi. Il faut commencer à assiéger Gabe dès que possible.

— Tu perds ton temps. Il était amoureux de sa femme. Tout comme mon mari…

— Je sais. Cal m'a expliqué tout cela… Cela ne t'interdit pas de porter du velours noir et de le rendre fou !

— Ce que tu dis me fait du bien…

— Tant mieux. Je peux t'accompagner à Barstow ?

— Avec plaisir ! Nous verrons si la Toyota apprécie l'autoroute…

Lisette secoua la tête.

— Oublie tes pick-up. Cet après-midi, tu vas tout me dire sur Gabe !

8.

— Si c'est encore pour me parler du pick-up, ce n'est pas la peine ! Je te le laisse jusqu'à ce que tu aies pris ta décision, un point c'est tout !

Gabe en avait assez des protestations de Maggie. Et il était encore plus las de dormir seul… Il ne se sentit pas mieux, cependant, lorsqu'il vit la jeune femme sur le pas de sa porte. Avec ses cheveux au vent et son nez rose de froid, elle était plus séduisante que jamais. Elle lui sourit d'une façon qui lui fit regretter de ne pas être un homme des cavernes… Ces gens-là, paraît-il, tiraient leurs femmes par les cheveux pour les faire entrer dans leur grotte quand leur libido s'éveillait. Cela devait être très pratique.

— Tu n'as pas l'air gai ce soir, dit-elle. J'espère que ce petit cadeau va un peu arranger les choses…

Elle lui tendit une petite boîte en carton marquée au sceau de la pâtisserie.

— Entre donc.

Il ne voulait pas de cadeau. Il voulait Maggie, avec son nez rose — et tout le reste. Cette pensée l'inquiéta, et il prit soin de s'écarter le plus possible tandis qu'elle entrait dans la cuisine.

— Cela vient de la boutique de Lisette ?

— Oui.

— Et en quel honneur ?

— Parce que c'était très gentil de ta part de m'offrir ce pick-up. Cela ne signifie pas que je l'accepte...

Elle lui mit la boîte en carton dans les mains.

— Alors, poursuivit-elle, je m'excuse pour mon comportement de ce matin, et je te demande de reprendre ton véhicule. Et encore merci.

— Tu vas faire réparer ta vieille Ford une fois de plus ?

— Non. J'essaye la Toyota pendant quelques jours et, si elle me plaît, je l'achèterai.

Il voulut lui demander si elle en avait les moyens ; si, à son avis, Gladding était un homme honnête, et pourquoi elle était venue chez lui ce soir. Il brûlait également du désir de l'emmener dans sa chambre afin de vénérer à loisir son corps merveilleux...

Il ne fit rien de tout cela. Il se contenta de dire :

— Je vois.

— Mange une pomme au four, cela te changera les idées.

— Ça m'étonnerait ! répliqua-t-il en posant la boîte sur le comptoir. Tu ne trouves pas cette histoire de pick-up terriblement suspecte ?

— Eh bien, pas vraim...

— Gladding ne m'inspire pas confiance, coupa-t-il, et je n'aime pas la façon dont les marieuses t'envoient des hommes...

Voilà. Maintenant, elle savait exactement ce qu'il avait sur le cœur ! pensa-t-il.

— Je leur en ai parlé, et elles m'ont promis d'arrêter. Je peux me défendre toute seule, Gabe !

Elle eut le sang-froid de lui sourire avant d'ajouter :

— J'en suis vraiment capable, Gabe.

— Ce matin, je t'ai plaquée contre le mur. C'est comme cela que tu te défends toute seule ?

— C'était le réfrigérateur, objecta-t-elle.

— Cela n'a pas d'importance. Le fait est que…

— J'ai seulement cru que tu me trouvais irrésistible.

De nouveau, elle se moquait de lui, songea-t-il.

— Tu ne devrais jamais porter cette robe de chambre bleue lorsque tu as de la visite !

Il avait fait son devoir en la prévenant. Son devoir d'ami et de protecteur. Et personne ne saurait jamais qu'il mourait d'envie de l'embrasser.

Maggie changea de sujet.

— Où sont les enfants ? J'aimerais savoir si Kate peut venir me donner un coup de main vendredi après-midi — comme l'école finit plus tôt que d'habitude… Je voudrais envoyer une dernière série de colis avant Noël.

— Kate prend un bain — cela peut durer une heure — et Joe est dans la cabane. Il a trouvé quelqu'un pour l'aider à faire ses maths.

Cela revenait à dire que Maggie et lui-même étaient seuls… Et cela ramena sur ses lèvres le souvenir de celles de la jeune femme.

— Veux-tu prendre un café ?

— Eh bien…

— Je peux même partager les gâteaux avec toi.

Après l'avoir embrassée.

— Je te remercie, fit-elle en souriant, mais Lisette et moi en avons déjà mangé cet après-midi avant d'aller faire des courses à Barstow.

Elle avait peut-être acheté une robe de chambre décente — en flanelle, par exemple, se dit-il. Ainsi, la prochaine fois qu'il la verrait tôt le matin, il ne se couvrirait pas de ridicule…

— Et tes enfants, où sont-ils ?

— Chez Lisette. Cal est allé les chercher après la répétition, et je vais les rejoindre. D'ailleurs, je ferais mieux d'y aller tout de suite, dit-elle en consultant sa montre. Ce soir, c'est la fête de l'école, et il est déjà presque 7 heures. Après les courses, j'ai laissé Lisette à la pâtisserie, puis j'ai dû repasser chez moi pour prendre tes clés de voiture et…

Du doigt, Gabe effleura les lèvres de Maggie : cette dernière parlait toujours trop quand elle était nerveuse.

— Chut !

Puis il promena son index sur la bouche de la jeune femme — laquelle se figea, ouvrit de grands yeux, et le fixa comme elle eût dévisagé un fou furieux.

— Depuis ce matin, je n'ai pas cessé un instant de penser à toi, Maggie…

Il ne lui restait plus qu'à s'approcher tout près d'elle et à l'embrasser. Il releva doucement son menton, et, avec délicatesse, unit ses lèvres aux siennes. Et Maggie — peut-être sous l'effet de la surprise — n'eut pas l'air de lui en vouloir… Au contraire, ses lèvres se détendirent pour l'accueillir, et ses bras se nouèrent autour de son cou.

Seule Maggie pouvait assouvir la passion qui le consumait. Il glissa les mains sous son manteau ouvert et, les promenant sur son pull, il vint les poser sur sa taille. Il l'attira contre lui — pas assez toutefois pour qu'elle put sentir toute son excitation. Après tout, il s'agissait de Maggie… Lui donner un baiser — même brûlant et vorace — était une chose, lui faire comprendre qu'il voulait aller plus loin était, disons… embarrassant.

Il ne tenait pas du tout à faire l'aveu de son incapacité à se contrôler…

Le baiser se prolongeait. Gabe avait l'impression de déguster quelque bonbon au miel, au gingembre et à la cannelle… Cette évidence le frappa : il pourrait embrasser la jeune femme pendant des heures sans que s'atténue le moins du monde son besoin de la posséder...

Le réfrigérateur se trouvant au moins à trois mètres d'eux, Gabe, passant les mains sous ses hanches, souleva Maggie et la fit asseoir sur le comptoir.

— Gabe...

— N'est-ce pas mieux comme cela ?

Ce fut tout ce qu'il put dire avant de fondre de nouveau sur sa bouche. Ainsi placée, elle était à une hauteur idéale.

— Gabe... oh, Gabe... que faisons-nous ?

L'intéressé jugea la question inutile. Ses mains ne se faufilaient-elles pas déjà sous son pull ?

— Nous prenons le café, repartit-il en explorant de sa langue ce petit creux sous l'oreille qui l'intriguait tant. Et nous parlons de ce damné pick-up...

— Et du temps, murmura Maggie. Tu crois qu'il neigera pour Noël ?

— Bien sûr !

Il la sentit frissonner lorsqu'il lui mordilla le lobe de l'oreille.

— Tu ne penses pas sérieusement que nous allons... faire l'amour sur le comptoir de la cuisine, tout de même ?

Gabe se mit à rire. Il fallait s'appeler Maggie pour poser une question pareille dans de telles circonstances !

— Non.

Il s'écarta légèrement et la dévisagea. Le rose était monté à ses joues, ses lèvres étaient un tout petit peu enflées, et ses cheveux blonds encore plus ébouriffés que d'ordinaire.

— Tant mieux !

Pourtant, Maggie semblait déconcertée, inquiète. Elle dénoua ses bras autour de son cou.

— Que nous arrive-t-il, Gabe ? Nous ne nous sommes même pas adressé la parole pendant quatre ans, et aujourd'hui... Enfin, tu vois bien ce que je veux dire...

— Oui... je vois très bien que tu es de nouveau dans ma vie.

— Je ne suis pas dans ta vie ! Je suis sur ton comptoir.

— Nous avons perdu la tête.

Elle lui lança un regard étrange.

— Tu sais, quand nous étions au lycée... j'espérais qu'un jour tu m'embrasserais comme cela !

— Est-ce trop tard à présent ?

— Oui, répondit Maggie en se remettant sur ses pieds. Il est certainement trop tard.

Maggie sortit la robe du sac et la disposa soigneusement sur un cintre. Avant de la suspendre dans l'armoire, elle s'interrogea : allait-elle vraiment la porter ? Bah ! c'était une robe neuve ; le magasin la lui rembourserait si elle la rapportait dès le lendemain à Barstow.

— Tu vas lui faire perdre la tête, lui avait dit Lisette en passant la tête dans la cabine d'essayage, lorsque Maggie eut revêtu la robe de velours noir.

Cette dernière avait des manches longues, un décolleté profond, et s'arrêtait plusieurs centimètres au-dessus des chevilles. Maggie pouvait donc en rehausser l'éclat en chaussant des talons hauts — ou, de façon plus décontractée, des chaussons noirs de danse, par exemple, et des collants — du moins, c'était ce que lui avait fait remarquer Lisette. En fin de compte, la jeune femme avait choisi une paire de bottes noires, anciennes et distinguées, qui lui faisaient des pieds presque minuscules.

Tout cela suffirait-il à affoler Gabe ? Maggie en doutait fortement, même s'il s'était comporté... bizarrement depuis le mariage. Elle aurait voulu croire que, ce jour-là, son ensemble rouge avait éveillé son désir ; elle voulait plus encore ne pas se duper elle-même. Même pendant leur adolescence, lorsque sa poitrine s'était développée de façon impressionnante — et même gênante — Gabe ne l'avait jamais remarquée. En tout cas, jamais pour cette raison. Il était resté bon copain avec elle. Et il avait épousé quelqu'un d'autre. C'était Carole qu'il avait choisie... Ni une robe de gala, ni un collier de strass ne pourraient rien y changer.

Et la belle et élégante Carole Walker ne s'était pas contentée d'un seul mari ; elle avait aussi pris le sien.

Et, à présent, Gabe embrassait la « brave » Maggie Johnson...

Il devait se sentir bien seul.

Gabe redoutait de devenir fou. Une fois les enfants au lit, il s'assit dans le salon, et médita. Quelle force obscure l'avait-elle poussé à agir aussi inconsidérément ? Pourquoi s'était-il entiché de Maggie au point de l'asseoir sur le comptoir de sa cuisine ? Il ne pouvait ne fût-ce que l'apercevoir sans qu'une irrépressible envie de la caresser le possède ! C'était la preuve, soit que le célibat ne lui valait rien, soit qu'il était amoureux fou de Maggie Johnson. Maggie *Moore* ! Jamais il ne s'habituerait à son nom d'épouse...

Jeff avait beau être un salaud, Maggie l'avait assez aimé pour l'épouser. Et ce, trois ans environ après que Carole et lui-même se furent mariés et installés au ranch — où il ne leur était jamais venu à l'idée de faire l'amour dans la cuisine.

S'il était intelligent, il s'efforcerait d'éviter Maggie.

Hélas, nul n'avait encore traité Gabe O'Connor de génie.

— Cette fois-ci, tu n'y couperas pas ! annonça Calder, sans chercher à cacher son amusement. Lisette organise une réception vendredi soir, pour fêter Noël.

— Et qu'y a-t-il de si drôle ?

— C'est que Maggie et toi serez là, et que j'ai hâte de voir ça !

— C'est bien la dernière fois que je te propose de déjeuner avec moi !

Le restaurant Sam et Marie était plein à craquer — d'autant plus que pas un seul client ne semblait avoir laissé ses achats de Noël dans sa voiture.

— Vous ne regretterez pas d'être venus, dit la serveuse, qui avait entendu le dernier commentaire de Gabe. Nous avons un menu spécial « Dinde de Noël », une spécialité maison, avec une sauce à la canneberge…

— Comment pourrais-je vous résister ? susurra Calder, ce qui mit en émoi la souriante serveuse — assez âgée pour être sa mère.

— Cela fera deux, enchaîna Gabe. Et servez-nous du café dès que vous en aurez l'occasion.

— Compris. Je ne serai pas longue.

— Les femmes t'adorent, comme toujours ! s'exclama Gabe.

Calder eut un large sourire.

— Ouais. Je n'ai aucun mérite : c'est inné.

— Pourquoi irais-je à ta réception ?

— Parce que, après tant d'années, tu t'es enfin réveillé et que tu as compris que Maggie…

Il s'arrêta, la serveuse étant déjà de retour avec le café. Lorsqu'il fut servi, Calder en but une gorgée.

— Pas aussi bon que celui de mon épouse, mais Lisette ne sert pas le déjeuner en même temps…

— C'est incroyable que tu te sois métamorphosé en homme marié — et comblé, avec ça !

— Pour sûr. Mon grand-père est aux anges, malgré les deux kilos qu'il a déjà pris. Lisette ne le laisse jamais manquer de rouleaux à la cannelle, et quand il n'est pas à la maison, c'est qu'il a invité Ella Bliss à souper.

— Mac et Ella sortent ensemble ? On dirait bien qu'un vent de folie souffle sur la ville… Et je ne suis pas épargné !

Il se frotta les yeux. Une vilaine migraine s'était emparée d'une bonne moitié de son crâne.

— Qu'est-ce qui te fait dire cela ?

Gabe poussa un gros soupir.

— J'aime Maggie.

— Et alors ? Qu'y a-t-il de si grave ?

— Cela ne se passe pas comme je le voudrais.

— Je m'en doute. Qu'essaies-tu de faire ? De coucher ou seulement de sortir avec elle ?

— Ni l'un ni l'autre. J'essaie de la protéger des imbéciles que les marieuses mettent au travers de son chemin. Je veux juste… me comporter en ami.

— Te comporter en ami ! répéta Calder, manifestement pris de nouveau d'une folle envie de rire. Tu agis comme un homme jaloux et possessif qui ne veut voir personne tourner autour de sa petite amie, oui !

— Ce n'est pas ma petite amie.

— Dans ce cas, laisse-la tranquille.

— Je ne sais pas ce qui m'arrive. C'est peut-être à cause de Noël.

— A moins que, Maggie et toi, vous ayez enfin surmonté le mal que Jeff et Carole vous ont fait ?

— Elle l'aimait.

— Qui ça ? Carole ?

— Maggie. Je les ai vus ensemble une fois ou deux, quand ils allaient chercher leurs enfants à l'école. Elle regardait ce fils de chien comme s'il avait décroché la lune. Je n'ai jamais pu comprendre cela.

— Qui oserait se vanter de comprendre les femmes ? Néanmoins Jeff est parti, et toi tu es bien là. Et, vendredi, tu vas sabler le champagne avec tous ces jeunes mariés heureux… Toi et Maggie, vous serez les seuls célibataires. Advienne que pourra !

— Tu sais, elle pourrait venir avec quelqu'un !

— Ouais, je suppose.

— Ou moi avec quelqu'une ! Ainsi, les plans d'Ella Bliss seraient déjoués…

— Et Lisette serait également terriblement déçue ! Elle fait tout ce qu'elle peut pour que Maggie et toi…

Gabe secoua la tête.

— Je n'ai pas du tout envie de me remarier. Une fois me suffit. De toute façon…

— Quoi ?

— Maggie me considère plutôt comme un frère.

— Un frère ? Tu en es sûr ?

Gabe se souvint de leur baiser, de la réaction passionnée de Maggie… et aussi qu'elle lui avait dit qu'il était trop tard, et qu'il n'avait pas de place dans sa vie.

— Ouais. Sûr.

— Dans ce cas, rétorqua Cal avec nonchalance tandis que la serveuse disposait les plats devant eux, il ne te reste plus qu'à lui faire changer d'avis.

— Elle a toujours été plutôt têtue…

— Cette bonne blague ! Les femmes passent leur temps à changer d'avis. Tu n'as plus qu'à guetter le moment où cela se produit !

— Je leur ai dit que, s'ils recommençaient, j'appellerais leurs parents ! lança Mme Barnhill.

L'école élémentaire de Bliss était entièrement mobilisée pour la préparation de son grand spectacle de Noël, et la petite institutrice rouquine réprimait impitoyablement toute indiscipline.

— Je suis navrée, dit Maggie en faisant les gros yeux à sa fille, qui paraissait se désintéresser totalement de la situation. Qu'ont-ils fait exactement ?

— Il m'a pris mon seau ! s'écria Georgie. Je suis une des dix trayeuses de lait, et chaque seau est de couleur différente. Le mien est doré !

— Oui, mais elle, elle s'est assise sur ma couronne ! plaida Joe, tout en implorant Maggie du regard.

— Tu avais dit que tu la détestais, ta couronne !

— Comme tout le monde !

L'institutrice leva les bras.

— En voilà assez ! Le spectacle a lieu demain soir. Je sais que l'approche de Noël vous excite, mais…

— Madame Barnhill ?

Le chapeau de cow-boy à la main, la veste couverte aux épaules de flocons de neige, Gabe se tenait à l'entrée de la classe. Une fois de plus, Maggie fut frappée par sa belle allure. Il était costaud et rassurant… et savait embrasser mieux que quiconque. Elle soupira.

— Entrez donc, monsieur O'Connor, offrit Mme Barnhill.

Puis, désignant la chaise de bois à côté de Joe — et en face de Maggie — elle ajouta :

— Nous parlions justement de Joe et de Georgianna. Ils n'ont pas l'air de très bien s'entendre !

L'air fâché, Gabe se tourna vers le garçon — sa réplique exacte, en plus jeune… jusqu'à son ondoyante chevelure brune.

— Tu n'as pas honte de te battre avec une fille ?

— Elle m'a cherché !

— Même pas vrai ! s'indigna Georgie en secouant la tête avec vigueur.

L'institutrice leva derechef les bras pour imposer le silence.

— Cela fait bien quinze jours qu'ils se chamaillent ! Entre le contrôle de maths à corriger et la préparation du spectacle, je n'avais vraiment pas besoin de cela ! Pas étonnant que j'aie la migraine tous les soirs !

— Ils seront sages, désormais ! assura Gabe. N'est-ce pas, Joe ?

— Heu… non.

— Georgie ? s'enquit Maggie à son tour. Tu ne le taquineras plus ?

— C'est possible.

Devant l'air sévère que prenait sa mère, Georgianna s'empressa de corriger :

— Je veux dire : certainement pas !

— Disparaissez ! gronda Mme Barnhill en désignant la porte. Et n'oubliez pas votre compte rendu de lecture !

— Oui m'dame ! maugréa Joe.

Puis le garçon apostropha son père dans un large sourire :

— On peut aller manger un morceau ?

— M'man ? dit Georgie, non moins rayonnante — de toute évidence, elle était ravie de voir sa mère entre les murs de l'école — c'est vrai, on peut ?

— Bonne soirée, madame Barnhill.

Maggie reprit ses gants et son sac, tandis que Lanie, qu'elle avait prié d'attendre patiemment au-dehors, risquait un œil à l'intérieur de la salle de classe. Kate l'accompagnait, si bien que, quand ils se retrouvèrent tous dans le couloir, ils semblaient ne former qu'une seule et heureuse famille — même si papa n'avait pas l'air content du tout.

— Nom d'une pipe ! rugit-il. Cet appel de l'école a failli me causer une crise cardiaque. J'ai imaginé le pire !

— Elle fait toute une histoire pour trois fois rien ! déclara Joe.

— Tais-toi ! répliqua Gabe. Je ne veux pas écouter un petit voyou ! Parfaitement : un petit voyou !

— Il s'est très bien conduit, monsieur O'Connor ! intervint Georgie en souriant à Gabe comme si elle l'accueillait lors d'une soirée. C'est de ma faute. Maman dit que je chahute trop quelquefois — et que je parle trop. Elle n'a pas tort.

— Comme maintenant, dit Joe en lui donnant un petit coup de poing sur le bras.

— Ouille ! grimaça Georgie en lui rendant son coup.

— Ça suffit comme ça !

Gabe prit son fils par le col de son manteau et l'éloigna de Georgie et de son sourire enjôleur.

— On ne frappe pas les filles !

— C'est une chance qu'ils n'aient jamais été dans la même classe les années précédentes ! observa Maggie.

Gabe donnait l'impression d'avoir passé dehors la plus grande partie de la journée. Ses pommettes étaient vermeilles, et il portait, eût-on dit, sa plus vieille paire de bottes par-dessus son jean. Maggie avait quelque mal à croire que c'était le même homme qui l'avait serrée dans ses bras la veille au soir, l'avait assise sur le comptoir sans autre forme de procès, et l'avait embrassée avec une folle ardeur — ce qui, pour une mère de deux enfants célibataire depuis des lustres, s'était avéré très excitant…

— Tu as sûrement raison, fit Gabe en dardant sur la jeune femme un regard si intense qu'elle se demanda s'il ne pensait pas, lui aussi, à leur baiser de la veille…

— Tu vas dîner chez toi ?

— Hum, heu… bégaya-t-elle, en se rappelant comment il avait glissé les mains sous son pull… et comment elle avait écarté les jambes pour lui permettre de se rapprocher d'elle.

— Nous, on va chez Sam manger des hamburgers, dit Gabe en s'arrêtant au milieu du couloir. Venez avec nous !

— Pourquoi ?

— Parce que tu n'aimes pas faire la cuisine…

— M'man ne *sait* pas faire la cuisine ! rectifia Georgie. Demandez à Lanie, elle vous le dira !

Obéissante, Lanie opina du chef.

— Je ne suis pas si mauvaise cuisinière que ça !

Kate prit la défense de la jeune femme :

— Vous savez faire d'autres choses, madame Moore. Retaper à neuf des vieux objets, par exemple.

— Merci, Kate, marmonna Maggie, touchée. Enfin, par moments, j'aimerais aussi savoir faire une tarte ! Au fait, j'ai demandé à ton père si tu pouvais venir travailler chez moi vendredi soir. Cela te va ?

— Bien sûr !

— Nous parlerons de tout cela pendant le dîner ! dit Gabe en touchant légèrement le dos de Maggie, comme pour la pousser vers la porte à double battant au bout du corridor.

Lanie, de son côté, mit sa main dans celle de Gabe.

— Maman ne sait pas faire la cuisine, dit-elle, mais elle fait de rudement bons câlins !

— Ouais. Je n'en doute pas !

Heureusement, personne ne s'avisa que Maggie rougissait.

9.

— Cette année, nous ne voulions pas nous encombrer d'un arbre de Noël, dit Louisa. Mais Mac nous en a apporté un et a même insisté pour l'installer.

— Je ne sais pas pourquoi il s'est donné tant de mal pour un arbre artificiel ! grommela Ella.

— Moi, je le trouve très beau, cet arbre, fit Missy. Il vous aidera à vous souvenir de l'esprit de Noël.

Ella faillit répliquer qu'il l'aidait surtout à se souvenir qu'elle avait un nez, car cela faisait deux jours qu'elle ne parvenait pas à débarrasser le salon de l'odeur de moisi qu'il dégageait.

— Je n'arrive pas à croire que nous sommes déjà jeudi ! s'exclama Grace en battant les cartes.

Elle ne les distribua cependant pas. Elle repoussa le jeu et reprit un cookie décoré de sapins de Noël.

— Nous devrions peut-être nous occuper de nos cadeaux tout de suite…

— Cela peut attendre ! répliqua Ella.

Les quatre joueuses avaient pour coutume d'échanger de petits cadeaux de Noël ; cette année, Ella voulait retarder ce rituel le plus possible. Missy reposa sa tasse de café.

— Alors, si nous n'ouvrons pas nos cadeaux, et si nous ne jouons pas aux cartes…

— Qui a dit que nous n'allions pas jouer aux cartes ? s'enquit Ella.

— Nous allons y jouer, répondit Grace. Mais seulement dans quelque temps.

— Parce que, en attendant… poursuivit Missy de cette voix doucereuse qui portait parfois sur les nerfs d'Ella, je me demandais… comment les choses se passaient pour Maggie Moore ? Y a-t-il une idylle à favoriser d'un petit coup de pouce ?

— Maggie veut que nous restions à l'écart de tout ceci, dit Lou. L'autre jour, elle n'a pas beaucoup apprécié que nous lui fassions rencontrer le vétérinaire. Toutefois… Je dois dire qu'elle n'a pas refusé d'essayer le pick-up que le beau M. Gladding lui a livré.

— Ce jeune homme a vraiment belle allure, murmura Grace. Il a l'aura d'une star de cinéma.

— Maggie ne veut sortir avec aucun homme, quel que soit son look et son aura, assura Louisa.

— Balivernes ! se récria Grace. Je l'ai vue hier chez Sam et Marie. Elle dînait avec Gabe O'Connor…

— Ah bon ?

Ella ne savait pas si cette nouvelle devait la réjouir. Certes, elle souhaitait aider Georgie dans sa quête d'un père, mais fallait-il vraiment que ce fût Gabe ?

— … Et avec les enfants, précisa Grace. Tous les six occupaient la loge du coin. Ils avaient l'air de bien s'amuser.

— Mon Dieu ! s'exclama Missy. Ils ont été vite en besogne !

— Etaient-ils assis l'un à côté de l'autre ? demanda Lou.

— Oh non ! repartit Grace. Ils occupaient les deux bouts de la table, comme deux amis.

— Des amis, soupira Lou, visiblement déçue. Je n'aime guère ce mot.

— Que voulais-tu qu'ils fassent dans un restaurant bondé, et devant quatre enfants ?

Quoiqu'elle ne désirât pas rabrouer trop vivement sa sœur, elle avait les nerfs à fleur de peau, comme si elle sentait que quelque chose d'important allait se produire. Peut-être devrait-elle téléphoner à Mac pour s'assurer qu'il était en bonne santé ? Non, c'était ridicule. Le vieil homme croirait qu'elle perdait la tête.

— Tu es certaine qu'ils ne se faisaient pas du pied sous la table, en catimini ? hasarda Louisa.

— Ils avaient l'air de deux amis, répéta Grace. Mais je ne les ai pas trop observés… J'ai essayé d'être discrète.

— Et bien sûr, dit Missy, tu n'as pas pu surprendre leur conversation.

— J'étais trop loin, hélas. Nonobstant, en allant aux toilettes, je les ai entendus parler de quelque chose qui s'était passé à l'école…

— Georgie devait être aux anges, fit Ella. Mais je n'arrive pas à m'imaginer ces deux-là ensemble, après ce que leur ont fait Jeff et Carole.

— Bah ! Beaucoup d'eau a coulé sous les ponts depuis ! nota Missy.

Lou s'éclaircit la gorge.

— J'ai quelque chose…

— Ma grand-mère disait toujours : de l'eau *sur* les ponts ! dit Grace en riant.

— Peu importe, reprit Lou. J'ai quelque…

— Elle ne s'apercevait même pas que cela ne voulait rien dire ! souligna Grace.

A bout de patience, Lou se leva et leva les bras en l'air.

— J'ai quelque chose à vous annoncer, nom d'un chien !

— Pour l'amour du ciel ! s'écria Ella. Pourquoi ne le dis-tu pas simplement ? Arrête ce cinéma et assieds-toi calmement ! Tu as un comportement étrange depuis quelques jours…

— Je vais vivre chez Cameron.

— Et pourquoi donc ? s'enquit Ella, tandis que les deux autres dames dévisageaient Louisa avec stupeur. C'est notre plus proche voisin ! Ce n'est pas comme s'il habitait à Barstow !

— Nous voulons tenter de vivre ensemble, expliqua Lou. Pour voir si cela nous plaît.

— Quoi, *cela* ?

Louisa s'empourpra.

— Faire l'amour.

— Les hommes aiment toujours faire l'amour ! déclara Ella. Ce sont les vierges de quatre-vingts ans qui devraient avoir des doutes !

— Parle pour toi ! rétorqua sa sœur. Moi, je m'achète une chemise de nuit de soie noire et je déménage le soir du nouvel an !

— Cela ne marchera jamais !

Ella s'efforçait de dissimuler sa consternation. Qu'allait-elle faire seule dans une si grande maison ?

— Seigneur Dieu ! marmotta Missy. Je ne sais vraiment que dire !

Probablement parce que s'imposait à son esprit l'horrible vision de Cameron et Louisa nus et vautrés l'un sur l'autre, songea Ella.

Il lui fallait absolument surmonter cette toquade pour Maggie ! ruminait Gabe. Et si elle portait un chandail floconneux du même bleu que ses yeux, et qui lui donnait la silhouette de Marilyn Monroe, eh bien… tant pis pour lui !

Et si elle lui souriait dans la salle des fêtes de l'école, au point que l'irrésistible envie de s'enfuir avec elle dans le parking et de la prendre contre un mur en ciment s'emparait de lui, eh bien, il lui fallait ignorer cette envie. Car c'était ainsi que devait se comporter un adulte, même s'il éprouvait une passion brûlante pour une femme qu'il avait presque toujours connue, qui se trouvait libre — et qui lui avait dit qu'il était trop tard…

Que diable avait-elle voulu dire, au juste ? Gabe se recroquevilla sur son siège. Sur les planches, sa fille allait être l'une des conteuses, son fils un acrobate. A côté de lui, sa mère était en grande conversation avec des amis et, derrière lui, Calder et Lisette bavardaient avec Mac — qui se souvenait qu'à son époque, les spectacles commençaient à l'heure.

Non, décidément, pensa Gabe en jetant un coup d'œil en direction de la rangée où Maggie s'était établie avec sa mère et sa tante, il n'y avait rien d'autre à faire que rester sagement à sa place, en tentant d'ignorer son excitation — se remarquât-elle autant que la Tour Eiffel — et en priant le ciel pour qu'on éteigne enfin les lumières…

Lorsque le directeur de l'école — un homme d'une quarantaine d'années au visage fatigué — monta sur scène pour présenter le spectacle de la classe de maternelle, Gabe poussa un énorme soupir de soulagement.

— Tous ces enfants étaient adorables ! s'extasia sa mère une heure et demie plus tard, après que le public eut repris en chœur *Douce Nuit*.

— Je suis bien de cet avis. C'est formidable que tu aies pu rentrer à temps…

— Je ne voulais surtout pas rater ça ! dit-elle en enfilant son manteau. Les gosses auraient été tellement déçus ! Tout est réglé pour demain soir ?

— Ouais. Kate travaille chez Maggie Moore cet après-midi ; je t'amènerai les enfants quand elle sera de retour.

— Très bien. J'ai des tas de choses à faire, moi aussi.

Sa mère, qui avait la carrure d'une athlète et l'énergie d'une adolescente, confondait l'approche de Noël avec un marathon, et passait par conséquent son temps à courir d'un magasin à l'autre. Elle aimait que ses petits-enfants l'aident à choisir leurs cadeaux. Gabe imaginait sans peine que ceux-ci n'y voyaient pas d'inconvénient…

— Bonsoir, Gabe ! lança Lisette. A demain soir !

— Comme je suis contente que tu te remettes à sortir ! murmura sa mère. Demande à Calder : c'est le seul moyen de rencontrer une femme sympathique !

— Peut-être, répondit-il distraitement, tout en s'avisant que Maggie portait un pantalon gris qui la moulait divinement quand elle se penchait pour embrasser ses filles, qui venaient de la rejoindre.

— N'est-ce pas Maggie Moore, là-bas ?

— Oui.

— Cela faisait des années que je ne l'avais pas revue, depuis…

— Les funérailles… acheva Gabe.

Sa mère avait aussi assisté à celles de Jeff, par respect pour la mère de ce dernier, ancienne camarade d'école. Et elle avait toujours eu un faible pour « cette coquine de Maggie » — ainsi l'appelait-elle quand elle était petite…

— Elle est toujours la même.

— Ah bon ?

Lui pensait qu'elle avait changé. Dans le bon sens.

— J'ai envie de dire bonjour à Nona et à Agnès. Tu peux venir avec moi.

— Pourquoi pas ?

Il chercha Kate et Joe des yeux, sans succès. Oui, pourquoi pas, pensa-t-il, ne fût-ce que pour montrer à Maggie qu'il pouvait lui parler sans la prendre dans ses bras.

Ni lui, ni Maggie ne mentionnèrent le dîner qu'ils avaient pris ensemble la veille. Certes, il n'y avait pas grand-chose à en dire, puisque les quatre enfants avaient pratiquement fait toute la conversation. Georgie et Joe avaient raconté une foule d'anecdotes concernant les répétitions, et les deux adultes n'avaient pas échangé plus de trois phrases.

— Je pense reprendre le pick-up demain, dit-il. A moins que tu n'aies changé d'avis…

— Non. La Toyota me convient très bien.

— Quand puis-je venir ?

— Le matin, de préférence. Quoique… tu n'as pas besoin que je sois là pour ça.

Oui, mais lui *voulait* qu'elle soit chez elle…

— Très bien. Je dirai à Hank de me déposer chez toi. Tu sais quel prix tu vas me demander pour débarrasser mes hangars ?

— Non. Je viendrai lorsque le temps le permettra. On prévoit un redoux pour la semaine prochaine…

Ils en étaient à parler de météo, à présent ! Leur relation était tombée bien bas, s'attrista Gabe.

Pendant ce temps, sa mère jacassait avec la famille de Maggie.

— J'ai entendu dire que les antiquités rustiques étaient à la mode, dit-elle à la jeune femme. J'aimerais tant faire un tour dans votre boutique…

— En fait, je suis fermée de décembre à avril : l'hiver, la majorité de mes ventes se font sur internet. Mais vous êtes la bienvenue, quand vous voudrez ! ajouta-t-elle à la surprise de Gabe.

Comme ses enfants déboulaient en courant, Gabe leur accorda toute son attention. Ils ne cessaient de parler de leurs projets de vacances. Puis il voulut derechef se tourner vers Maggie.

Elle était partie.

Bah ! il la verrait le lendemain matin. De préférence lorsque ses marmots seraient déjà dans le bus de l'école — et avant qu'elle n'enlève sa robe bleue. Ainsi, il mettrait sa propre volonté à l'épreuve.

Et il ne doutait pas de son triomphe.

Maggie se leva dès l'aube. Gabe n'allait tout de même pas la surprendre de nouveau au saut du lit ! Du reste, il n'avait pas besoin d'entrer pour prendre le pick-up. Oui, il y avait de grandes chances pour qu'elle n'ait droit qu'à un coup de klaxon quand il quitterait l'allée...

Néanmoins... il lui avait demandé si elle serait chez elle : il avait peut-être l'intention d'entrer, en fin de compte. Qu'importe ! Elle serait fin prête ! Il trouverait la cuisine propre et rangée — sans le moindre paquet traînant dans les coins — et la cafetière pleine.

Après que ses enfants étaient montés dans leur bus, elle avait échangé ses bottes pleines de neige contre des chaussons en peau de mouton. Elle portait son plus vieux jean et son chandail favori, un cashmere à col roulé qu'elle avait acheté deux ans plus tôt au magasin de l'Armée du Salut. Elle s'était maquillée et avait testé trois coiffures différentes avant de laisser ses cheveux tomber librement sur ses épaules. Ainsi, elle espérait paraître sophistiquée, sans pour autant perdre son allure décontractée...

Elle ne voulait plus être amoureuse de Gabe ! décréta-t-elle en se versant une deuxième tasse de café. Elle avait surmonté le faible qu'elle avait pour lui dès l'instant où elle avait appris qu'il s'était marié. Ce genre de nouvelle avait évidemment balayé tout espoir qu'il la remarque jamais de *cette* manière…

Et la résurrection de cet espoir n'était pas à l'ordre du jour.

Quand elle le vit sur le perron, Maggie s'efforça donc de ralentir les battements de son cœur. Et elle le fit entrer comme s'il passait chez elle tous les matins pour prendre un café.

— Je suis adulte, dit-elle, sans se rendre compte qu'elle venait de parler à voix haute.

L'étonnement se peignit sur le visage de Gabe.

— C'est vrai… Nous sommes tous les deux adultes. Et je ne suis pas venu pour te faire l'amour.

— Eh bien, tant mieux, mais je ne pensais vraiment pas à cela !

Maggie abandonna sa tasse sur le comptoir. Quelle menteuse effrontée elle faisait !

— Je te proposerais bien du café, reprit-elle, mais j'imagine que tu as beaucoup à faire ce matin…

— Oui. Un bon café me ferait justement le plus grand bien.

— O.K.

Elle remplit la plus petite tasse qu'elle put trouver, et la posa sur la table de la cuisine.

— Assieds-toi, Gabe.

— Tu n'as pas mis ta robe bleue ce matin…

— Je la trouve trop aguichante.

Il sourit.

— Tu as bien fait.

Il se cala confortablement dans le fauteuil en fer forgé.

— C’est déjà assez dur comme ça. Je n’ai vraiment pas besoin que tu te mettes, en plus, en chemise de nuit…

— Qu’est-ce qui est assez dur comme ça ?

Il but une gorgée de café avant de répondre.

— De te désirer. Je crois que tout vient de l’ensemble rouge que tu portais au mariage.

— A moins qu’il ne s’agisse du champagne que tu avais bu…

— C’est vrai en partie, admit-il. Et puis… l’ivresse de la valse…

— Désires-tu toutes les femmes avec qui tu danses ?

Maggie n’ignorait pas qu’elle flirtait de façon éhontée. Eh ! c’était tout de même plus agréable que de vérifier ses ventes sur internet ou peindre en vert cendré trente gobelets à sève.

— Je n’avais pas dansé depuis très longtemps. Et toi ?

— Moi non plus.

Elle s’assit près de lui.

— Le bleu te va vraiment bien.

Puis, portant les yeux sur son chandail :

— Le blanc aussi, d’ailleurs.

— Merci. Et tu ne m’as pas encore vue en noir !

— En noir ?

— Tu verras ce soir…

— Grands dieux ! On étouffe ici, marmonna-t-il en déboutonnant sa veste.

— J’ai allumé le poêle à bois dans le salon.

— Ça doit être ça…

— Si je comprends bien, tu es venu pour le pick-up ? dit-elle, tout en se demandant comment ils en étaient venus à parler de la température qu’il faisait chez elle.

— Puisque tu y tiens, oui.

— J’y tiens !

— Tu vas acheter la Toyota ?

— Je crois. Je ne pensais pas dépenser autant pour changer de véhicule… Enfin ! Rob soutient qu'elle parcourra encore cent mille kilomètres sans problème.

— Gladding m'a tout l'air d'un escroc. Tu vas sortir avec lui ?

Maggie éclata de rire.

— Cela ne te concerne pas !

— J'ai l'impression que si, répliqua-t-il en lui prenant la main. Tu… tu ne portes pas ton alliance.

— Toi non plus.

— Cela fait longtemps que je ne me sens plus marié !

Il lui tourna la main.

— Il y a des traces de vert…

— J'ai transporté des pots de peinture avant ton arrivée.

Il porta ses doigts à ses lèvres.

— Je m'étais promis de ne pas te toucher…

— Tu flirtes. Tu n'avais jamais fait cela avec moi.

— Tu ne peux pas savoir à quel point je le regrette !

Il lui ferma la main et caressa ses doigts.

— Je n'étais pas très éveillé quand j'étais jeune !

— Tout à fait vrai.

Comment retirer sa main ? Les caresses de Gabe étaient délicieuses. Pour la forme, Maggie se reprocha son manque de volonté.

— Tu m'as dit qu'il était trop tard. Tu es sûre que je ne pourrai pas te faire changer d'avis ?

Oui, avoir de la volonté était plus difficile qu'on ne le croyait. Elle avait adoré Gabe dans son enfance, avait eu le béguin pour lui au lycée, puis était tombée amoureuse folle de lui, au point de croire que la fin du monde était arrivée lorsqu'il avait épousé Carole… Peut-être était-elle encore un peu amoureuse de lui — surtout quand il lui tenait la main et lui disait que le bleu lui allait bien… Mais était-ce suffisant pour souhaiter qu'il l'emmène dans sa chambre et lui fasse l'amour jusqu'à la pause déjeuner ?

— Presque, répondit Maggie, tout en regrettant de n'avoir pas mis sa robe bleue. Disons que… cela ne me dérange pas que tu essayes.

Il se mit à rire et la serra contre lui.

— Embrasse-moi, Maggie.

— Et pourquoi ?

— Parce que tu en meurs d'envie !

— Ce n'est pas vrai…

— Ah bon ?

Il l'embrassa alors tendrement, passionnément, la serrant si fort qu'elle faillit tomber de sa chaise.

— C'est insensé ! protesta la jeune femme.

— Sûrement, et après ?

— O.K.

Cela lui convenait parfaitement. Ne pas s'inquiéter, ni trop penser. Sentir seulement les doigts de Gabe sur sa peau, sa bouche contre la sienne… C'était si bon de passer les bras autour de son cou, et de fondre sous une avalanche de baisers… Jusqu'à cet instant, elle n'aurait jamais cru qu'il pouvait en exister d'aussi ardents !

Sans quitter sa veste, il se leva, la tenant fermement contre sa poitrine, et se dirigea vers l'escalier.

— On monte ?

— Bonne idée…

Il la transporta à l'étage avec une aisance impressionnante, et elle lui indiqua le chemin de sa chambre — la chambre à coucher de son enfance… Après la mort de Jeff, elle avait refait la grande chambre pour ses filles. Elle en avait vendu le lit, tout en conservant l'antique dosseret en fer forgé, qu'elle avait remis en état.

— Est-ce que tu penses ôter cette veste un jour ?

Il s'assit sur le bord du lit et jeta son vêtement sur le plancher.

— C'est mieux ?

— Beaucoup mieux.

Il l'étendit sur le lit et se pencha sur elle, les bras appuyés de chaque côté de sa tête.

— Comment se fait-il que nous n'ayons jamais fait cela au lycée ?

— Parce que je ne me suis jamais habillée en rouge ?

— Cela se pourrait bien !

Il s'allongea à côté d'elle. De ses doigts tremblants, elle réussit assez bien à défaire la ceinture de son pantalon.

— Maggie, ne va pas plus loin, si tu ne veux pas me plonger dans l'embarras !

— Compris. Tu peux d'abord enlever mes vêtements.

Elle sourit faiblement.

— ... je n'en reviens pas d'avoir dit ça !

Il passa une main brûlante sous le chandail de la jeune femme.

— Tu sais, nous pourrions cesser de parler pendant un temps...

Elle haleta comme il faisait glisser sa main par-dessus sa poitrine, avant de la plonger à l'intérieur de son soutien-gorge.

— Bonne idée ! réussit-elle pourtant à répliquer. Quoi qu'il en soit, je ne vais pas tarder à être sans voix !

— Tu me flattes, nous n'avons encore rien fait !

— Si tu voulais bien te rapprocher un peu plus, nous pourrions commencer !

— Chut !

Ce fut la seule réponse de Gabe — si l'on excepte le fait que son autre main descendit jusqu'au bouton-pression du jean de sa partenaire.

Dès lors, Maggie fut incapable de se souvenir qu'elle avait déjà fait l'amour par le passé. En un tournemain, leurs vêtements jonchèrent le sol ; l'édredon piqué de grand-mère Johnson les rejoignit bientôt, ainsi que l'antique drap de coton.

Et le corps merveilleux — et nu — de Gabe s'étendit sur elle.

Maggie ne perçut aucun jugement dans le regard de Gabe : il ne parut pas remarquer qu'elle avait cinq kilos en trop. Il était aussi excité qu'elle — elle le sentait, moite, à l'intérieur de sa cuisse — et cependant, il prit tout son temps pour couvrir son corps de caresses et de baisers avec un plaisir si évident que Maggie eut envie de pleurer.

Et de lui rendre la pareille.

Elle roula sur le flanc et il l'imita aussitôt, afin de lui faire face. Elle put le contempler à loisir, caresser la duveteuse toison qui ombrait sa large poitrine, ses muscles durs d'homme habitué à ne pas ménager sa peine... Ses doigts effleurèrent la longue cicatrice qu'il avait juste au-dessus du cœur.

— La clôture en fil de fer barbelé, dit-il. Un stupide accident.

— La jument pie ?

Il acquiesça d'un signe de tête. Maggie lut clairement dans ses yeux qu'il n'avait aucune envie de parler de chevaux...

Elle voulut se saisir de son sexe ; Gabe lui prit le poignet.

— Pas cette fois-ci... chuchota-t-il.

Il la remit sur le dos et, de nouveau, la couvrit de son corps. Puis il écarta les mèches qui lui cachaient les yeux.

— Si je n'entre pas tout de suite en toi, j'ai peur de perdre tout contrôle !

Le bonheur de se sentir ainsi désirée fit sourire Maggie. Elle se souviendrait de ce jour jusqu'à la fin de sa vie, se dit-elle tandis qu'il la pénétrait doucement, sans à-coups...

… Et tandis qu'elle soupirait profondément, certaine que tout ce qui se passait là était absolument juste…

Elle sentit trembler ses bras, l'embrassa au creux du cou… Lentement, il se retira à demi, puis l'emplit entièrement, et recommença encore et encore sans accélérer son rythme… Elle n'aurait jamais cru qu'il la désirerait à ce point — comme s'il ne pouvait jamais être assez profondément en elle…

Il s'arrêta pour reprendre son souffle — et lui laisser reprendre le sien.

— Cela… se passe bien pour toi ? s'enquit-il avec le plus grand sérieux.

Maggie se cambra davantage.

— C'est parfait ! Continue !

Il s'était empressé d'obéir…

Longtemps après, ils avaient gémi ensemble, et ensemble ils avaient joui.

Elle espérait que Gabe partageait l'intensité de sa félicité…

10.

Le désir était une chose bien étrange.

Gabe gara le pick-up que Maggie avait dédaigné près du hangar des tracteurs. D'accord, se dit-il, ce qu'il éprouvait pour elle se rangeait bien dans la catégorie des désirs.

Un désir inextinguible.

Il regrettait déjà de ne plus se trouver dans cet antique lit en fer forgé, avec tous ses vêtements par terre... De ne plus sentir sous lui la peau délicieuse de Maggie, le corps délectable de Maggie prêt à l'accueillir...

Gabe geignit. Rien ne l'avait obligé à entrer chez elle ce matin-là. Il ne savait que trop qu'il n'avait aucune volonté, qu'il réagirait face à Maggie tel un taureau devant lequel on agite une cape rouge. Il avait toujours aimé la compagnie de Maggie. Mais voilà : il l'avait aussi toujours considérée comme une copine... Son corps s'était pourtant transformé, elle s'était mise à utiliser son rouge à lèvres et à sortir de temps en temps avec quelques idiots de la ville... Néanmoins Gabe ne l'avait jamais vue comme une femme. Avec des désirs. Et quand elle s'était mariée, il avait trop de problèmes avec sa propre épouse pour prêter attention au mariage des autres.

Puis soudain, il y avait eu comme un déclic, et il s'était mis à admirer Maggie au lieu de l'éviter. A la regarder sans penser à son mari voleur d'épouse. Gabe ne savait pas ce qui lui était arrivé, mais il espérait bien que cela disparaîtrait aussi vite que c'était apparu. La violence de son propre désir le mettait mal à l'aise.

Jamais il n'avait eu une telle expérience avec une femme. Il s'était littéralement senti *dans* sa peau... Une fusion parfaite ! Elle s'était offerte si généreusement à lui — comme si elle pensait au contraire que c'était *lui* qui lui faisait un cadeau merveilleux...

Or il n'était pas question de cadeau. Il ne s'agissait que du désir que ressentaient l'un pour l'autre deux êtres las de leur solitude, de leur lit vide et froid. Et s'il ne pouvait pas se rassasier d'elle, cela signifiait seulement que Maggie était séduisante, et que lui était resté célibataire trop longtemps.

Oui, il ne pouvait y avoir aucune autre explication que celle-ci.

Après cette matinée d'amour avec Gabe, Maggie s'avisa rapidement que recenser ses ventes sur internet était une occupation bien fade. Elle éteignit donc son ordinateur et ses pensées se mirent à vagabonder curieusement...

Pourquoi Carole avait-elle préféré faire l'amour avec Jeff plutôt qu'avec son mari ?

Car il n'y avait vraiment aucune comparaison ! pensa-t-elle — et pas pour la première fois depuis que Gabe s'était habillé et était parti comme un médecin appelé aux urgences...

Il lui avait lancé un regard énigmatique, l'avait embrassée — une seule fois, les lèvres fermées — et s'était esquivé.

Trop comblée pour tenter de l'arrêter, de lui demander ce qu'il voulait fuir exactement, elle s'était enfouie sous les couvertures et s'était endormie. Elle avait toujours envie de dormir après l'amour — non qu'elle l'eût fait très souvent avec Jeff...

Sans doute s'économisait-il pour son amante !

Quand les enfants rentrèrent de l'école, elle avait pris une douche et s'était habillée. Kate allait l'aider à envoyer les dernières commandes faites sur internet, Georgie voulait faire un gâteau au chocolat pour sa grand-mère — et Lanie s'assoupit bientôt devant la télévision.

— C'est grand-maman qui viendra me chercher à 5 heures, prévint Kate. Papa sort ce soir.

— Je sais. Il va dîner chez les Brown, n'est-ce pas ?

La jeune femme commença à vérifier une facture… et songea au corps frémissant de Gabe contre le sien.

— Ouais. Tu y vas aussi, pas vrai ?

— Bien sûr que oui ! J'ai même acheté une robe neuve !

Kate poussa une exclamation de surprise et Georgie leva le nez de son gâteau : manifestement, elle n'en croyait pas ses oreilles.

— Une robe neuve ou une *nouvelle* robe de la friperie ? fit la petite, avant d'exiger de se rendre compte par elle-même.

— D'accord, mais à condition que tu te laves les mains.

Pas question qu'il y ait du gâteau au chocolat sur la robe qu'elle allait mettre ce soir !

Car, ce soir, elle voulait attiser mille feux avec sa robe de velours, et son collier ancien en strass… Sans parler de la lumière qu'une matinée d'amour faisait flamboyer dans son regard…

— Tu es rayonnante ! s'exclama Lisette comme Maggie s'apprêtait à mordre dans une carotte.

— Merci, répondit-elle avec un petit sourire. Je le sais.

Lisette se retourna vers Gabe, qui affectant un air innocent, feignait de ne rien entendre du bavardage des femmes. Bien entendu, Cal et Owen, eux aussi, observaient leur épouse tout en faisant semblant de se passionner pour le match de barrage que Seattle devait jouer le lendemain — ou pour la journée de championnat interrégional du week-end.

— Le Nebraska pourrait bien prendre la tête, déclara Gabe, qui s'en fichait royalement.

Oui, Maggie était rayonnante. Il avait presque eu une défaillance cardiaque à son entrée dans le salon. Jamais il ne l'avait vue aussi élégante et court-vêtue — sauf peut-être lorsqu'elle avait porté sa robe bleue de satin.

Et la jeune femme n'ignorait rien de l'effet qu'elle produisait sur lui. Quand elle l'avait salué, ses yeux bleus étincelaient. Gabe, de son côté, en embrassant Maggie sur la joue, avait fait preuve d'un courage héroïque : poursuivre le baiser le long de son cou, de sa gorge, et jusqu'à cette poitrine si attirante — et mise en valeur par un collier rutilant — l'avait violemment tenté…

— Non, dit Owen. Le Colorado est plus fort. Ils ont une sacrée paire de demis !

De nouveau, Gabe porta son attention sur Maggie, assise en face de lui sur le divan de cuir marron. Elle achevait de manger sa carotte et s'essuya les doigts à l'aide d'une petite serviette en papier. Son collier semblait planer au-dessus de ses seins chaque fois qu'elle se penchait…

Elle le rendait fou…

— Tu n'as pas l'air bien, fit Cal en remplissant d'autorité son verre de whisky.

Puis il lorgna Maggie, en grande conversation avec Lisette et Suzanne, avant de revenir à Gabe.

— Qu'est-ce que tu as ?

— Rien du tout.

— Ah bon ?

— En tout cas, ce n'est pas grave.

Il but une gorgée de whisky et le regretta aussitôt. Il avait besoin de toute sa lucidité s'il voulait éviter d'avoir l'air complètement toqué !

Cal s'assit à côté de lui.

— Tu vois bien qu'elle n'est pas venue avec un petit ami !

— Elle a bien fait. J'aurais été contraint de le tuer.

— Je vois. Vous n'êtes plus seulement amis…

— Je ne sais pas…

C'était la vérité. Il se tourna vers Calder. Cette fois, son ami ne cherchait pas à se moquer de lui.

— … tout ceci est tellement étrange.

— Tu parles ! Il y a deux mois, nous étions tous trois célibataires, et maintenant, regarde où nous en sommes, Chase et moi !

Owen, non loin d'eux, chuchotait quelque chose à l'oreille de sa femme. Suzanne secoua la tête et se mit à rire.

— Je ne veux pas me remarier, dit Gabe à voix basse.

Non, pas question de revivre un tel cauchemar. La vie avec Carole lui avait appris quelques leçons qu'il n'était pas près d'oublier.

— J'ai déjà donné, et ça n'a pas marché comme au cinéma.

— Les dés étaient pipés dès le début, mon vieux. Carole demandait beaucoup sans rien donner en retour. Tu n'avais aucune chance.

— Ouais. Je me suis fait avoir.

Son type, décida Gabe, c'était les blondes voluptueuses avec de la peinture verte sur les mains. Plus précisément, une femme férocement indépendante qui n'hésitait pas à parader dans une robe au décolleté audacieux.

— Carole était très séduisante. Tu ne t'étais pas trompé sur ce point…

— Merci, répondit-il sans cesser de dévorer Maggie des yeux.

La jeune femme paraissait parfaitement détendue, et à cent lieues de se douter que le cœur de Gabe s'affolait chaque fois qu'elle se penchait pour prendre un amuse-gueule.

— En tout cas, mon vieux Gabe, tu m'as tout l'air sur la bonne voie, à présent.

— Ah bon ?

Il but une bonne rasade de whisky — Maggie mordait de nouveau dans une carotte — avant d'ajouter :

— Qu'est-ce qui te fait dire cela ?

— Ton air malheureux. Les femmes adorent ça ! Je vais aller remplir le verre de ta petite amie.

— Ce n'est pas ma petite amie ! Nous ne sommes pas venus ici ensemble.

Il regrettait d'ailleurs de n'avoir pas songé à passer la prendre…

— Tes enfants sont chez grand-mère, n'est-ce pas ?

— Ouais.

Si bien que, tandis que Gabe se préparait pour la soirée, la maison s'était trouvée plongée dans un silence aussi complet qu'insolite. Il avait allumé les lumières de l'arbre de Noël, puis s'était assis devant, tout seul. Il s'était senti un peu bizarre…

— Et j'ai entendu dire que les enfants de Maggie sont chez leur grand-mère, eux aussi, continua Cal d'une voix traînante, tout en remuant les cubes de glace de son verre presque vide. Crois-tu au destin ?

Gabe sourit.

— Maintenant, oui !

A cet instant, Maggie le regarda et leva les sourcils, comme pour lui signifier : *Qu'y a-t-il de si drôle ?* Il haussa les épaules et lui fit un clin d'œil.

Oui, décréta Gabe : le destin venait de lui donner une seconde chance avec Maggie.

— Tu as couché avec lui, n'est-ce pas ?

Lisette, vêtue d'un pantalon de satin vert émeraude et d'une tunique assortie, posa un plat sur la table préparée pour six personnes à une extrémité de la grande cuisine de chêne massif. Un délicieux parfum de basilic s'échappait de la salade verte.

— Quelle est cette sauce ? s'enquit Maggie.

— Un secret de famille ! Et tu es priée de ne pas changer de sujet !

Lisette avait disposé des serviettes de table rouges et dorées près de l'argenterie de famille, ainsi que de grosses bougies, rouges également, sur des coupes d'argent. L'effet était saisissant.

— C'est magnifique ! dit Maggie. Et en plus de tout ça, tu as fait la cuisine !

— Merci. J'adore recevoir, et cela fait si longtemps...

Elle fronça les sourcils et compta sur ses doigts.

— Enfin, cela n'a aucune importance ! Dépêche-toi plutôt de me mettre au courant avant que les hommes ne reviennent !

— Je vois que j'arrive à temps ! fit Suzanne, qui faisait irruption dans la cuisine avec un plateau de verres vides. Au fait, Maggie, j'adore ta robe !

— Merci. C'est un cadeau de Noël que je me suis fait à moi-même !

— Alors, que se passe-t-il de si mystérieux ? demanda Suzanne.

— Maggie a acheté cette robe pour affoler Gabe, expliqua Lisette. Et on dirait bien que ça marche !

— Moi aussi, j'ai remarqué qu'il ne peut pas te quitter des yeux !

— Je connais cet homme depuis toujours, avoua Maggie. Or, ce matin, il est venu chez moi... et nous nous sommes retrouvés au lit !

Les deux femmes la regardèrent, bouche bée.

Lisette la première recouvra l'usage de la parole :

— Alors... tu n'avais même pas besoin de cette robe !

— Je ne sais pas au juste comment c'est arrivé. Je sais seulement que cela paraissait... naturel. C'était vraiment... oui... dans l'ordre des choses !

— Eh bien, félicitations ! s'écria Suzanne. Owen et moi, la première fois, nous étions coincés dans son ranch par une tempête de neige. C'était idéal. J'ai raté mon avion...

Les deux femmes se tournèrent vers Lisette qui achevait de boire son Pinot Grigio.

— Oh, bien sûr, je vais vous le dire : la table ! murmura Lisette d'une voix presque inaudible. J'assurais la restauration d'une soirée et j'ai fini là-dessous... avec Calder.

— J'ai l'impression que mon récit a été le plus banal des trois ! déclara Maggie.

— Attention ! prévint Suzanne. Voilà les hommes.

— Ils croiront que nous échangions des recettes de cuisine ! blagua Lisette.

Toutes trois éclatèrent de rire. Puis Lisette plaça Gabe à côté de Maggie, comme s'ils formaient déjà un couple. Et si, par la suite, la main de Gabe effleura parfois la taille de la jeune femme — et si Maggie, de son côté, se pencha tout contre lui pour entendre ce que disait Cal au sujet des cadeaux de Noël de ses filles — personne n'en fut surpris. Certes, Owen eut plusieurs sourires entendus, et Calder quelques clins d'yeux, mais les femmes firent comme si tout était normal.

Maggie ignorait si tout était normal. Elle savait seulement qu'elle s'amusait bien, et cela lui suffisait.

Pour le moment.

— Ce n'étaient que des préliminaires, déclara Gabe, comme s'il venait de faire une découverte capitale.

— Pardon ?

Maggie s'assura que sa robe ne se prendrait pas dans la portière lorsqu'elle claquerait celle-ci. Elle avait pris grand plaisir à le sentir derrière elle sur la route, même si, tout au long de la soirée, elle avait deviné qu'il la suivrait ensuite jusque chez elle…

— Du début jusqu'à la fin, cette réception n'a été ni plus ni moins qu'un prélude, reprit-il en s'approchant d'elle à grands pas.

— Le regrettes-tu ?

— Pas vraiment. Bien que je n'aie pas pu goûter au dessert !

— Tu n'aimes pas les choux à la crème ?

— J'en raffole ! Mais je sentais ta main sur ma cuisse.

Il lui prit la main et la tourna, paume en l'air.

— Hé ! Il n'y a plus de peinture !

— Je ne remettrai jamais plus ma main sur ta cuisse, promit-elle — sauf bien sûr si tu me fais du genou !

— Je n'ai pas pu m'en empêcher ! Ta poitrine voulait s'échapper de ta robe…

— Cela s'appelle un décolleté, cow-boy !

— J'appellerais plutôt cela une torture, ma chérie ! Est-ce que tu m'invites chez toi ?

— Si tu veux.

— Ce que je veux, c'est te déshabiller… Mais pas tout de suite.

— Tu veux d'abord boire un café ?

— Sûrement pas !

Ils avaient atteint le perron. Maggie lâcha la main de Gabe pour fouiller dans son sac, à la recherche de sa clé.

— Alors, tu veux une bière, du vin, du whisky, du cognac, des cigares, ou le magazine des sports de la CNN ?

— Heureusement, tu as compris que tu ne m'intéressais pas ! plaisanta-t-il en lui écartant les cheveux.

Il l'embrassa dans le cou, juste au-dessus du col de son manteau.

Maggie frissonna à l'idée de ce qui les attendait... Puis elle soupira et tourna la clé dans la serrure.

— Dieu merci, nous sommes seuls ! chuchota-t-elle, hésitant à allumer la lumière.

Dès qu'il eut refermé la porte, Gabe la serra dans ses bras et la pressa contre lui. Elle perçut sa chaleur tout le long de son dos, et son souffle sur sa nuque.

— Maintenant, on peut vraiment parler de prélude...

— En parler seulement ? s'inquiéta-t-elle en déboutonnant son manteau avec une vivacité qui la surprit elle-même.

— A toi de décider.

Il lui fit faire volte-face, et plongea ses yeux dans les siens.

— Tu m'as assez torturé pour la soirée. Maintenant, c'est mon tour !

— J'en suis ravie ! approuva-t-elle, tandis qu'un feu délicieux se propageait dans tout son corps.

Cette fois-ci, elle n'eut pas à lui indiquer le chemin de sa chambre. Il ne délia ses doigts des siens que quand ils furent au pied du lit — et simplement pour ôter sa veste.

— J'aime cette robe...

— C'est ce que j'espérais, reconnut Maggie en se débarrassant de ses bottes.

— Tourne-toi.

La jeune femme s'exécuta, ce qui permit à Gabe de descendre la fermeture Eclair de sa robe, de glisser la main dans ses cheveux, puis plus bas — et plus en avant — par-dessus ses tétons. Ce geste fit choir le haut de la robe, qui couvrait à peine ces derniers… Il prit alors ses seins à pleines mains, et Maggie se demanda combien de temps elle serait capable de tenir… Elle était à la fois ardente et pleine de langueur, brûlante et inexpérimentée — timide et passionnée… Chacune de ses caresses éveillait dans tout son corps mille sensations sublimes.

— J'attends ce moment depuis le début de la soirée, dit-il d'une voix rauque.

— Ce ne sont encore que les préliminaires…

— Tout à fait d'accord, lui souffla-t-il à l'oreille. Avons-nous toute la nuit devant nous ?

— Oui.

— Demande-moi ce que tu veux !

Il agaça ses tétons jusqu'à les façonner en deux boules dures.

— Dis-moi où tu aimes être caressée, où tu veux que je te fasse l'amour…

— Tu as très bien commencé ! fit-elle, les yeux clos, la tête posée sur ses épaules.

Les perles en strass paraissaient glacées sur ses seins brûlants… La couvrant de baisers, il la déshabilla avec lenteur. La jarretière de soie et les bas noirs — qu'elle avait dénichés dans un lot de lingerie au cours d'une vente aux enchères — ébahirent littéralement son partenaire. Si elle avait escompté qu'ils lui plairaient, elle n'aurait jamais cru qu'il en resterait sans voix !

— Les bas datent des années trente, expliqua-t-elle. Ils se trouvaient dans une élégante boîte en carton, comme s'ils n'avaient jamais été portés…

L'homme garda le silence, les yeux fixés à la hauteur du nombril de la jeune femme.

— J'adore les ventes aux enchères, reprit-elle, on ne sait jamais ce qu'on va y trouver…

Aucune réponse… Pas même un bruit de respiration !

— Tu dors chuchota-t-elle ?

Gabe la prit par les hanches et promena ses lèvres le long de l'élastique frangé de soie.

— Je ne dors pas, protesta-t-il en insérant la langue entre l'élastique et la peau.

— Me voilà rassurée !

Elle soupira de plaisir… son corps vibrait comme les cordes d'une harpe — et la nuit ne faisait que commencer ! Gabe couvrit la soie de baisers avant de faire glisser le bas de son bikini le long de ses cuisses… Puis il enfonça sa langue dans la fleur de son intimité et la mena si près de l'orgasme qu'elle se mit à crier de désir… Il détacha alors ses bas et fit descendre lentement la jarretière le long de ses hanches…

— J'ai le sentiment que Noël est en avance, cette année !

Maggie fut incapable de répondre autrement que par des gémissements, car Gabe avait repris son voluptueux manège, et, cette fois, ne l'interrompit pas avant qu'elle eût atteint le paroxysme du plaisir. Puis il la déposa sur le lit, ôta ses vêtements et s'étendit sur la pile d'oreillers…

— Viens ! l'exhorta-t-il en l'amenant au-dessus de lui.

Les perles de strass pendaient sur sa poitrine ; comme elle se penchait pour l'embrasser sur la bouche, il sentit ses seins — ainsi que le collier — s'étaler sur sa propre poitrine…

Indicible chaud et froid ! Puis il la souleva par les hanches et l'empala sur lui. Elle était prête pour lui, et cependant si plaisamment serrée…

Elle eut un petit cri de surprise — mêlé d'extase… De ses grandes mains plaquées derrière elle, il lui imposa un rythme qui l'amena plus profondément encore en elle. Gabe perdit toute notion du temps… Maggie se courba et trouva sa bouche juste avant d'atteindre de nouveau l'orgasme. Il accéléra son rythme, et demeura longtemps, très longtemps en elle…

Oui, ils ne cesseraient pas de faire l'amour avant l'aube !

Gabe, Maggie toujours sur lui, frôla la rangée de perles du collier de strass.

— Qu'est-ce que c'est exactement ?

— Un collier très ancien que m'a donné ma tante. Selon elle, il appartenait à une tenancière de bordel dans l'Idaho.

— J'aime aussi ce genre d'objet, murmura-t-il en faisant rouler une perle entre le pouce et l'index.

— J'adore particulièrement celui-ci. Je crois qu'il m'a porté chance. Après tout, il y a un homme nu dans mon lit !

— C'est tout ce qu'il te faut pour te rendre heureuse ?

— Je ne refuserais pas non plus de gagner à la loterie pour me payer un pick-up de luxe flambant neuf. Le Père Noël pourrait aussi m'apporter assez de pâtés au poulet pour remplir mon congélateur…

— Pourquoi des pâtés au poulet ?

— Je suis une piètre cuisinière. Lisette s'est proposée pour me donner des cours.

— Tu as d'autres talents ! affirma Gabe, tout en la renversant sur le dos.

Des talents innombrables, pensa-t-il en se couchant sur elle. Et dire qu'il avait attendu si longtemps avant de les apprécier !

Vraiment, il s'était comporté en idiot…

11.

Gabe s'éveilla dès l'aube — comme tous les samedis — et se faufila hors des couvertures pour ne pas réveiller Maggie. Couchée sur le côté, elle lui tournait le dos — elle était indépendante jusque dans son sommeil, se dit-il. Il rassembla ses vêtements et sortit sur la pointe des pieds. Il avait du travail à faire chez lui, avant le retour des enfants, à midi. Et il voulait aussi se remettre les idées en place.

Il ne savait pas trop comment — ni quand — il était tombé amoureux de Maggie ; ce dont il était sûr, c'était que ces dernières vingt-quatre heures avaient bouleversé sa vie. Et qu'il ne savait qu'en penser. S'il n'était pas homme à prendre des décisions à la hâte, il ne devait pas oublier que d'autres hommes pouvaient lui ravir Maggie, comme le svelte vétérinaire, ou encore ce garagiste plutôt louche. Aucun d'eux ne méritait la jeune femme, ni ses sous-vêtements, ni ses enfants pleins de malice, ni son amour !

Son amour ? Etait-il certain d'en être l'objet ?

En tout cas, il avait en mains de sérieux atouts…

Il ne lui restait plus qu'à savoir jouer.

*
* *

Mac, invité d'honneur du petit déjeuner hebdomadaire du Club des Marieuses, vint à bout de trois crêpes aux œufs et au jambon.

— Lisette et moi, dit-il, nous nous sommes levés très tôt, mais elle ne m'a guère adressé la parole, tant elle a été occupée toute la matinée.

Les quatre femmes opinèrent du chef. Elles savaient qu'il ne pouvait en être autrement à deux jours de Noël.

— Je ne m'assiérai pas souvent pendant les trois prochains jours ! déclara Grace. Les enfants commencent à arriver cet après-midi.

— Eh bien, c'est agréable d'avoir de la compagnie ! soutint le vieux rancher. Je me réjouis d'avoir les enfants chez moi… une dernière fois — puisque j'envisage de m'établir ailleurs pour laisser la grande maison aux jeunes.

Le sang d'Ella se glaça. Priant pour que personne ne remarque rien, elle porta en tremblant sa tasse de café à ses lèvres. Pourvu que Mac n'aie pas envie de s'installer en ville ! Près de chez elle, ou même… *chez* elle ! Il était déjà bien suffisant qu'une sœur Bliss vive dans le péché — bien que Louisa n'ait pas encore déménagé, ni acheté sa fameuse chemise de nuit noire…

— Mac, je t'en prie, raconte-nous ce qui s'est passé lors de cette soirée ! Qu'est-ce que Lisette avait fait à manger ?

— Nous n'avons pas invité Mac pour parler cuisine ! dit Ella en reposant sa tasse un peu moins délicatement qu'elle ne l'aurait voulu — au point qu'un peu de café se répandit sur la sous-tasse. Ce que nous voulons savoir, c'est comment cela s'est passé entre Maggie et Gabe !

— Oh, cela s'est très bien passé ! Maggie a complètement affolé le pauvre homme. Elle était éblouissante dans une robe très élégante qui montrait, heu… qui montrait à quel point elle est jolie.

— Elle est adorable ! approuva Missy. Je crois que le Dr Hathaway est fou d'elle.

— Chut ! intervint Ella, qui voulait avant tout connaître l'opinion de Mac. Que s'est-il passé d'autre ?

— Lisette s'est arrangée pour qu'ils soient côte à côte. Calder est persuadé qu'ils ont échangé quelques petites cajoleries sous la table parce que Maggie n'en finissait pas de rougir et de sourire jusqu'aux oreilles.

— Quel genre de cajoleries ?

De toute évidence, Louisa désirait étendre ses connaissances dans le domaine sexuel.

— Je préfère ne pas le savoir ! Du reste, je ne fais que répéter ce que m'a dit Cal — et, croyez-moi, cela le faisait rire comme un fou !

— Il riait ?

Lou se demandait ce qu'il pouvait bien y avoir de drôle dans une idylle. Le travail de marieuse ne devait pas être ainsi pris à la légère.

— Il se moquait de Maggie ?

— Non, Ella ! Il se moquait de Gabe, pour avoir enfin attrapé le virus de l'amour, si l'on peut dire, après lui avoir si longtemps résisté !

— Eh bien ! soupira Ella, je me demande si Georgie se doute qu'elle n'est pas loin d'obtenir le beau-père qu'elle désirait !

— Allez-vous l'appeler ? s'enquit Missy, qui avait toujours eu un faible pour les enfants de tout âge.

— Pas tout de suite. Il sera toujours temps *après* leur mariage.

— Leur mariage ? s'étonna Mac.

— Comment ? N'est-ce pas là notre but commun ?

Mac haussa les épaules.

— Je ne sais pas. Ne mets-tu pas un peu la charrue avant les bœufs, ma chérie ?

Ella résolut de ne pas relever la manière dont Mac s'était adressé à elle.

— Et qu'a fait Lisette pour le dessert ?

— Des choux fourrés avec de la glace. Pas mauvais. Un truc français. Pro quelque chose.

— *Profiteroles*, articula Missy, un rien pédante. C'est ainsi qu'on les appelle à Paris.

— C'est ça !

Mac décocha un clin d'œil à Ella avant d'ajouter :

— On devient de plus en plus raffiné dans ce ranch. Je ferais mieux de le quitter avant de perdre ce côté terre à terre qui fait tout mon charme !

Il pouvait toujours courir ! songea Ella en détournant le regard. Robert MacKenzie Brown débordait peut-être de charme, mais elle saurait lui résister !

En le maintenant à distance.

Au bureau de poste, personne ne se réjouit de voir entrer Maggie. La jeune femme et Nona durent retourner par trois fois à la voiture pour aller chercher tous les colis à expédier, et les gens qui arrivèrent après elles durent se résoudre à une longue attente… ou à faire demi-tour.

— Eh bien, ma belle dame, vous avez l'air plutôt gai ce matin. Votre petit ami est en forme ?

— J'ai attrapé l'esprit de Noël, expliqua Maggie.

J'ai eu Gabe O'Connor dans mon lit toute la nuit.

— Ah ! s'exclama Nona. Tu as davantage que l'esprit de Noël, ma chérie. Tu as cette lumière dans le regard…

Maggie considéra quelques instants sa tante, qui portait un manteau de laine d'une autre époque avec un col de vison, une jupe longue en daim et des bottes à talons hauts.

— Quelle lumière ? s'enquit-elle enfin.

— Celle qui dit : « J'ai un homme ! »

Aïe ! Maggie détourna les yeux, un peu trop éloquents à son goût.

— Je me demande si la neige tiendra jusqu'à Noël…

— Tu es une drôle de fille, Maggie. Tu es amoureuse de cet homme depuis toujours, et tu crois que personne ne l'a remarqué !

— Pas depuis toujours, répliqua Maggie à voix basse — en espérant que Nona en ferait autant — et peut-être même pas… depuis aujourd'hui.

— A d'autres ! rétorqua Nona en aidant sa nièce à pousser la pyramide de colis en direction du guichet. Tout ce que je souhaite, c'est que tu sortes plus souvent, comme tu l'as fait hier soir. Agnès et moi, on aime bien garder tes filles. Surtout Agnès. Elle les adore : sans doute lui rappellent-elles l'époque où elle t'élevait. Je crois que le ranch lui manque plus qu'elle ne veut bien le dire. Quand veux-tu que nous t'apportions la dinde de Noël ? Lundi ?

— Quand tu voudras, repartit la jeune femme, un peu étourdie par ce flot de paroles.

Il était vrai qu'elle n'avait guère dormi la nuit précédente…

— Tu sais, poursuivit-elle, vous pouvez rester chez moi la nuit de Noël, si tu veux. Nous pourrions rôtir la dinde dans mon four.

— Nous aimons trop notre lit pour cela. Et puis, tu as déjà assez à faire avec tes enfants…

Gabe était parti avant qu'elle ne se réveille, ce qui était tout aussi bien, avait décidé Maggie. L'avant-veille de Noël, il ne manquerait sûrement pas de travail : les enfants, les cadeaux à acheter… La jeune femme se demanda où il passerait le réveillon. Au ranch avec sa mère, probablement. A moins que ce ne fût chez Cal et Lisette.

— Maggie ! C'est notre tour !

Nona salua la postière, qui parvint à leur souhaiter un joyeux Noël derrière les colis qui s'empilaient sur son comptoir.

— Joyeux Noël ! fit Maggie. Je vous promets, Betty, que c'est le dernier lot avant quatre ou cinq jours.

Puis, à l'adresse de Nona :

— La vente aux enchères sur internet s'achève dans quelques heures. Je ferai aussitôt le bilan définitif.

— Ah bon ? Tu ne sors pas ce soir… avec Qui-tu-sais ?

— La robe a fait un malheur, le collier étincelait, mais…

— Il y a un problème ? dit Nona, amusée.

— … j'ai l'intention de travailler ce soir. Et de confectionner des gâteaux !

A ces mots, sa tante se mit à rouler les yeux

— Je n'ai donc pas de temps à consacrer à, hum… Qui-tu-sais !

Pourtant, pensa Maggie, faire ce-que-tu-sais serait sûrement beaucoup plus intéressant que rester assise devant un ordinateur !

De longues heures plus tard, lorsque ses filles furent couchées — sa seule satisfaction de la soirée ayant été d'avoir gagné assez d'argent pour payer la première traite de son pick-up — elle continuait à se dire la même chose…

— Ce soir, nous allons chez Georgie ! annonça Joe.

Gabe leva les yeux de son petit déjeuner :

— Tiens donc ?

Il ne se souvenait pas que Maggie lui eût proposé de passer le réveillon de Noël avec elle. Il aurait dû l'appeler la veille, mais il avait voulu… enfin, il avait supposé qu'ils avaient besoin d'un peu de temps avant d'accepter l'idée qu'ils pourraient vivre ensemble.

Ou quelque chose comme cela…

Cependant il aurait tant voulu la voir aujourd'hui… La voir tous les jours !

— Ouais ! répondit son fils avec un grand sourire. C'est cool, pas vrai ?

— Maggie… Mme Moore a appelé quand j'étais parti ?

— Aucune idée, dit Joe en haussant les épaules. Tout ce que je sais, c'est que nous devons y être à 5 heures. Elles n'ont pas encore décoré leur arbre.

— Alors, elles ont peut-être besoin d'aide…

Tout s'arrangeait, songea Gabe. Il avait passé la journée à se demander sous quel prétexte il pourrait voir Maggie. Il avait espéré la rencontrer en ville, mais il n'avait vu que la Toyota garée devant la maison de sa tante. Elle était sans doute allée chercher ses enfants, tout comme lui.

— Tu as bien dit : 5 heures ?

— Ouais.

— Très bien. Je vais l'appeler, pour savoir si nous devons apporter quelque chose.

— Elles ne sont pas chez elles ! Elles sont, heu… chez grand-mère toute la journée !

Allait-il faire l'emplette d'une bouteille de vin ? Maggie porterait-elle son chandail bleu ? Lui sourirait-elle ? Il ne l'embrasserait pas devant les enfants. Il se contenterait de poser la main sur sa taille et de sentir la chaleur de son corps. Tant qu'ils ne seraient pas seuls…

— Papa ?

— Oui ?

— Georgie dit que Lanie croit encore au Père Noël, alors ne vends pas la mèche !

— Ne t'inquiète pas. Je ferai attention.

— Papa ?

— Ouais ?

Joe s'appuya sur le dossier de la chaise et se pencha à l'oreille de son père.

— Qu'est-ce que tu veux pour Noël ?

— Des bâtons de sucre candi, des chaussettes, et peut-être une nouvelle torche.

Maggie. Rien que Maggie.

— On a une visite ! annonça Georgie, plantée devant la porte vitrée. Je vois des phares.

— Je n'attends personne ! dit Maggie en entrant dans la cuisine.

Jamais plus elle ne commencerait la décoration du sapin de Noël le soir même du réveillon ! Ce n'était pas parce que Jeff avait toujours voulu un arbre fraîchement coupé qu'il fallait perpétuer les traditions de sa famille !

— M'man ! C'est M. O'Connor !

— Vraiment ?

Elle tenta de ramener ses cheveux en arrière ; las, ses doigts étaient pleins de sève, et les mèches se collèrent sur son front. Elle portait son plus vieux jean et les plus affreuses de ses bottes. Des aiguilles de pin hérissaient son pull, et le four dégageait une odeur déplaisante.

— Georgie ! La pizza doit être en train de brûler !

— Sûrement pas. Elle n'est pas encore dans le four !

— Oh, mon Dieu !

Elle aurait dû le nettoyer après l'explosion de ses patates douces le jour de Thanksgiving ! Et pourquoi Gabe déboulait-il, d'abord ? Maggie aurait aimé se persuader qu'elle ne lui en voulait pas de ne pas lui avoir téléphoné la veille... Tout de même, s'il l'avait prévenue, elle aurait mis son collier en strass et sa robe torride — ou, du moins, sa robe bleue de satin...

La vie était si injuste avec elle...

Bien entendu, Georgie s'empressa d'ouvrir la porte.

— Bonjour !

— Joyeux Noël à tous !

Gabe pénétra dans la cuisine, brandissant une bouteille de vin avec un ruban rouge autour du col. Maggie le regardait bouche bée.

— Joyeux Noël ! ânonna-t-elle enfin.

Il était incroyablement beau…

— C'est super cool ! dit Georgie en gratifiant Joe et Kate d'un grand sourire. Tu veux voir notre arbre ? Lanie prépare les décorations, et m'man accroche les lampions.

Là-dessus, ils se précipitèrent dans le salon.

— Eh bien, quelle surprise ! s'exclama Maggie, qui s'efforçait d'enlever la sève de ses doigts en les frottant contre son jean.

— En effet ! approuva-t-il, les yeux rieurs. Quatre enfants, et nous sommes tout de même seuls dans la cuisine !

— Je voulais dire : quelle surprise de te voir ! Ta visite me fait plaisir, mais je n'ai pas fait le ménage, et…

Gabe la considéra comme si elle avait perdu la tête.

— Mais tu nous as invités ! Pour t'aider à décorer ton sapin. J'ai une scie dans mon pick-up, au cas où…

— Je vous ai invités ?

— Joe m'a dit…

Gabe s'interrompit et se mit à rire.

— J'ai comme l'impression que mon fils m'a mené en bateau ! Il voulait sans doute passer le réveillon avec Georgie !

— Et Georgie l'a sûrement aidé à trouver cette idée ! s'écria-t-elle en se dirigeant vers le salon. Georgie ! Viens ici une minute !

Gabe la suivit. L'expression de culpabilité de Joe était presque comique.

— Qu'est-ce que c'est que cette odeur ? s'alarma soudain Maggie, qui se mit à tousser.

Cette fois, ce qu'elle humait n'avait aucun rapport avec les patates douces.

— Tu as un chat ?

— Non.

— Un chien ? Un furet ?

Maggie entra dans le salon et tressaillit. Quel triste spectacle il offrait à ses visiteurs ! Le poêle à bois ronronnait joyeusement, mais des copeaux jonchaient le sol. Certes, elle avait prévu de passer l'aspirateur sur le tapis, mais avait préféré attendre que l'arbre soit décoré et les colis rangés. Et Lanie avait éparpillé les décorations du sapin dans toute la pièce, afin sans doute de pouvoir les choisir plus commodément.

Et le sapin restait désespérément nu.

— C'est l'arbre qui pue ! décréta Joe.

— Il sent le pipi ! précisa Lanie en fronçant le nez. Pouah !

— Maggie, où as-tu dégotté cet arbre ? demanda Gabe.

— Au nouveau supermarché, à l'entrée de la ville, la semaine dernière. Je l'avais entreposé contre le mur du hangar…

Gabe s'approcha du maudit arbre plus que nécessaire, et conclut, pour l'embarras de Maggie, en reniflant avec force :

— Eh bien, dit-il, je présume qu'un chien ou un chat errant s'en est servi tant qu'il était dehors. En plein jour, tu aurais sans doute vu des traces jaunes dans la neige.

Quand il se retourna, il était partagé entre l'envie d'en rire et un mouvement de compassion pour la jeune femme.

— Je vais te le sortir d'ici.

— Merci. Moi, je vais ouvrir les fenêtres et…

— Tu nous enlèves notre arbre ? s'indigna Georgie d'une voix suraiguë. On ne va pas avoir de sapin pour Noël ?

— On ne peut pas garder un arbre qui a une telle odeur ! Cela va sentir dans toute la maison !

— Alors, qu'allons-nous faire ?

— Vous pouvez prendre le nôtre, dit Joe, à la surprise générale.

— Oh, Joe, comme tu es gentil ! s'émut Maggie. Mais nous ne pouvons pas vous priver de votre arbre !

— Au moins, vous pouvez venir chez nous pour le regarder ! insista le gamin, qui ressemblait de plus en plus à son père.

Maggie le prit par les épaules et le serra contre elle.

— On va acheter un autre arbre, dit-elle. Il n'est pas trop tard.

— C'est vrai ? bredouilla Lanie, les yeux emplis de larmes. Il n'est pas trop tard, m'man ?

Maggie consulta sa montre.

— La station-service vend des sapins. Ils ne sont tout de même pas déjà fermés !

— J'y vais, proposa Gabe.

Dire qu'il n'avait même pas ôté sa veste ! se reprocha Maggie. Quelle piètre hôtesse elle faisait ! Sa maison n'était pas rangée et sentait le chenil ; elle-même sentait la sève de pin… Et tout ce qu'elle pouvait offrir aux O'Connor, c'était une pizza surgelée — une pizza surgelée bon marché !

— C'est moi qui vais le choisir ! trompeta Lanie. C'est mon tour !

— Lanie !

— Elle peut très bien venir avec moi, et les autres aussi, dit Gabe. Tout le monde peut tenir dans ma voiture.

— Je te remercie, mais je crois que je vais rester ici, fit Maggie. Je vais, heu… démêler les guirlandes.

… Et ouvrir en grand les fenêtres, puis asperger toutes les pièces de spray déodorant, changer de vêtements, et me mettre du rouge à lèvres !

— Je peux vous aider, offrit Kate, encore stupéfaite par le désordre ambiant.

— Très volontiers !

Puis, à l'adresse de Gabe qui, avec l'aide des enfants, venait de séparer le sapin de son support :

— Nous mettrons quelques pizzas surgelées au four dès que tu reviendras.

— Je vais en profiter pour acheter à manger. Avec l'argent de poche de Joe. Comme c'est lui qui a organisé cette soirée, il est logique qu'il en couvre les frais !

— Georgie aussi, renchérit Maggie en lançant à sa fille un regard sévère. Je ne crois pas que Joe ait tout manigancé tout seul !

La petite se précipita dans l'escalier.

— Ne partez pas sans moi ! Je vais chercher mon argent !

Gabe sortit, emportant dans la nuit l'arbre malodorant, tandis que Lanie éclatait en sanglots, balbutiant que le Père Noël ne viendrait jamais chez elle s'il n'y avait pas de sapin.

Gabe et les enfants revinrent avec un demi-sapin — informe, mais sans odeur désagréable — deux sachets de pommes chips, trois bouteilles de Coca et une boîte de friandises au sucre candi.

— Tout était fermé, à part la station-service, se justifia Gabe. C'était leur dernier arbre.

Il n'avait pas l'air aussi gai et sûr de lui qu'en partant, nota Maggie. Mais elle n'eut guère le loisir de s'appesantir sur cette constatation car, le temps qu'ils fixent le demi-sapin sur son support, le dessous des pizzas avait brûlé, la mère de Maggie avait appelé deux fois — une fois pour vérifier l'heure du dîner du lendemain, et une autre pour demander si les filles aimaient le céleri dans la farce — et Joe s'était affalé sur le divan, se plaignant de maux d'estomac.

Maggie attribua son indisposition à l'odeur, qui n'était pas tout à fait dissipée, et lui conseilla d'aller respirer à la fenêtre.

Deux séries de lampions ne s'allumèrent point, et quelqu'un marcha sur la troisième. Quant aux traditionnels cheveux d'ange que Maggie avait jugés si jolis lorsqu'elle les avait achetés lors d'une brocante, ils semblaient avoir survécu de justesse à un désastre. Les enfants réussirent néanmoins à décorer l'arbre avec les moyens du bord, lui conférant peu à peu un petit air joyeux et festif.

Cependant, Gabe restait taciturne. Bien sûr, il accrocha la vieille étoile d'or au sommet de l'arbre et porta Lanie pour lui permettre de décorer les plus hautes branches, mais il ne dit pas grand-chose, et mangea encore moins — certes, une pizza à demi carbonisée n'était pas à proprement parler le genre de mets qui met en appétit... Et la bouteille de vin resta bouchée sur le comptoir de la cuisine.

Bientôt, Gabe se leva et informa ses enfants qu'il était temps de rentrer à la maison.

— Il n'est que 7 h 30 ! plaida Kate, très déçue.

— C'est vrai, papa ! C'est bien trop tôt !

— Le Père Noël doit venir ce soir ! dit Lanie.

— C'est pour cela que nous devons rentrer à la maison. Allons, les enfants, prenez vos manteaux et remerciez madame Moore pour la pizza. Et toi, Joe, tu dois faire des excuses...

— Je suis désolé de vous avoir dupés, dit-il d'un ton réjoui. Mais nous nous sommes bien amusés !

— Je n'en doute pas, dit Maggie.

Pour des enfants, décorer un sapin tout en mangeant une pizza et des cookies, cela suffisait à rendre une soirée agréable... Elle regarda Gabe. Son visage était désespérément fermé.

— Tu ne t'attendais pas à une soirée pareille, hein, O'Connor ? lança-t-elle avec désinvolture, dans l'espoir de le dérider. Pas de beau sapin, pas de repas raffiné, et des enfants qui n'ont même pas chanté *Douce Nuit* !

Gabe se renfrogna encore.

— Que veux-tu dire ?

— Pas de strass, de velours, de champagne…

— Hélas… Tu sais, ajouta-t-il à voix basse, je m'étais dit que, ce soir, je saisirais ma chance. Que je te ferais une demande en mariage, dans la grande tradition romantique… le grand jeu, quoi !

Le cœur de Maggie se lesta d'une chape de plomb.

— Mais tu ne vas pas le faire, souffla-t-elle, tout se demandant si elle n'était pas dans son lit, en train de cauchemarder.

— Hé non, Maggie, marmotta-t-il, enfonçant son Stetson sur ses cheveux noirs. Pas *maintenant.*

Derrière elle, Joe se mit à courir après Georgie, qui, ravie, poussa des cris perçants. De son côté, Lanie recommença à pleurer, bafouillant que le Père Noël n'aimerait pas l'odeur de la maison. Gabe s'en alla avec ses deux enfants.

Dans le consternant chaos de son salon, Maggie demeura immobile. Eh bien, songea-t-elle, Gabe O'Connor avait eu un aperçu de l'univers de Maggie Moore — et apparemment, c'était bien suffisant pour étouffer toute passion chez un homme sans réelle envergure.

Bah ! Elle n'aurait pas dit oui.

12.

— Mais assieds-toi donc, Ella ! Qu'est-ce que tu as, ce soir ?

Ella poussa un gros soupir.

— C'est le stress de Noël, je suppose.

— Le stress ! se récria sa sœur en remplissant deux petits verres de cognac. Je me demande bien ce que Noël peut avoir de stressant pour toi !

— D'abord, tu vas quitter cette maison, Lou, argua la vieille dame en prenant son verre. Et tu sais très bien que les changements ne me valent rien.

Et ensuite et surtout, Mac ne tarderait pas à arriver. Il s'était en effet invité à passer la fin du réveillon de Noël chez elles…

Louisa se cala dans le fauteuil à bras et but une gorgée de cognac.

— Je vais habiter dans la maison voisine. Je ne serai vraiment pas très loin !

— Cela, je l'avais bien compris !

De nouveau, Ella soupira bruyamment, sans quitter des yeux le sapin en matière synthétique que Lou et Cam avaient installé la semaine dernière devant la fenêtre donnant sur la rue, afin que nul n'ignore que chez les Bliss on respectait les traditions.

— Mac devrait être là d'une minute à l'autre, maintenant…

— Aucun de nos soupirants n'a jamais eu l'heur de plaire à notre père, dit Louisa en regardant l'austère portrait accroché au-dessus de la cheminée.

— Il ne voulait pas qu'on le quitte…

Ella se tut, étonnée de sentir des larmes emplir ses yeux fatigués.

— … je suppose que je me conduis de la même manière aujourd'hui, en refusant de te laisser partir ! Ce n'est pas très sympa de ma part.

— C'est vrai, acquiesça Lou en riant. Mais c'est compréhensible ; je suis de si bonne compagnie…

— Je t'en prie, épargne-moi ce genre de plaisanterie ! répliqua Ella en se dirigeant vers l'entrée. Ce doit être ton vieux fou de rancher qui vient de sonner ! ajouta-t-elle en ouvrant la porte. Oh ! Pour l'amour du ciel, Mac, que se passe-t-il ?

Le vieil homme avait le visage congestionné et respirait péniblement. A côté de lui se tenaient Georgianna Moore et le petit O'Connor, qui s'engouffrèrent aussitôt dans le salon.

— Ella, je te jure que c'est la meilleure !

— Assieds-toi vite, Mac !

Ella n'avait jamais vu le vieux rancher dans un tel état.

— Tu as un problème cardiaque, n'est-ce pas ?

Lou aida les enfants à accrocher leur manteau.

— Grands dieux, les enfants ! Il est bien tard pour sortir, même un soir de réveillon ! Vous étiez à la recherche du Père Noël ?

— Non, m'dame ! répondit Georgianna. Nous sommes venus vous parler !

— Nous parler ! s'étonna Ella.

Mac secoua furieusement la tête et marmotta dans sa barbe des choses inintelligibles. La vieille dame décida qu'elle avait eu de la chance de ne pas les comprendre…

— Ils allaient en ville à cheval ! expliqua enfin Mac. *A cheval* ! Et en pleine nuit !

— Mac, très cher… Louisa va te servir un bon petit remontant. Va t'asseoir.

— C'est très important ! assura la petite. Et puis pas la peine d'en faire un plat, puisque nous savons monter à cheval depuis l'âge de trois ans !

— Leurs parents ! s'étrangla Mac, au bord de l'apoplexie. Il faut leur téléphoner !

— Pas tout de suite, s'il vous plaît ! protesta Georgianna avec un calme impressionnant. Il faut que je parle à mademoiselle Ella.

— Nous avons besoin de vos conseils, déclara Joe. Il y a urgence.

— Urgence ? hurla Mac, hors de lui. Une urgence, c'est quand ta maison brûle, ou quand ton père est malade, ou quand tu es pris en chasse par des bandits ! Demander *conseil* n'a rien d'une urgence ! Ce n'est pas une raison pour aller en ville à cheval la nuit, en plein mois de décembre !

Lou offrit au vieil homme un verre de cognac qu'il but d'un trait.

— Encore heureux que je les aie vus sur le bord de la route ! reprit Mac en tendant son verre vide. J'ai failli avoir une attaque quand je les ai reconnus ! Je les ai fait monter et j'ai attaché les chevaux à l'arrière de mon pick-up. Evidemment, après, nous sommes allés au pas, pour ne pas essouffler ces braves bêtes.

— Avez-vous seulement pensé à vos parents ? gronda gentiment Ella, en les conduisant dans le salon, où elle les fit asseoir sur le divan. Je suis certaine qu'ils sont morts d'inquiétude !

— Il faut téléphoner ! insista Mac.

Lou lui fourra dans les mains un second verre — un grand, cette fois — plein du meilleur cognac de Père, qu'elles n'utilisaient que dans les grandes occasions — comme, par exemple, le réveillon de Noël… C'était le genre d'élixir que l'on déguste à petites gorgées, mais Mac avala d'un coup la moitié du verre. A cette allure, le vieux rancher serait bientôt ivre mort…

— Un instant, dit Ella. Dites-moi, les enfants, pourquoi avez-vous besoin de conseils ?

— Pour arranger un mariage, évidemment ! fit Georgie. M. O'Connor est venu ce soir — Joe et moi, on s'est arrangés pour qu'il vienne, mais on n'a pas été vraiment punis…

— On ne peut pas être vraiment punis le soir du réveillon ! acheva le gamin.

— Mais notre sapin puait et on a eu des chips et du coca, et puis il a dit qu'il voulait demander à m'man de l'épouser, mais qu'il n'allait pas le faire finalement.

— Il a changé d'avis, dit Joe.

— Alors, qu'est-ce qu'on fait ?

Georgianna regarda la vieille dame avec de grands yeux tristes.

— Je veux un papa, et tout de suite !

— On n'a pas toujours ce qu'on veut, dans la vie, dit Louisa.

Ella savait très bien que ce n'était pas le moment de dorloter des enfants qui venaient de se conduire d'une manière si imprudente, mais, tout de même, s'ils étaient venus lui demander de l'aide, alors, tout n'était pas perdu…

— C'est facile à présent de réunir vos parents. Mac, tu te sens assez bien maintenant pour appeler Gabe et Maggie ?

— Ouais ! Et j'espère que ton père va te tanner le cuir, Noël ou pas, mon petit Joe ! Je vais lui dire aussi de venir avec sa remorque à chevaux. Je ne crois pas que vous ayez envie qu'ils broutent votre pelouse toute la nuit !

— Mac, s'il te plaît, donne ces coups de téléphone !

Puis Ella se tourna vers les enfants, qui commençaient à s'inquiéter quelque peu.

— Bien sûr, c'est à vos parents — et à eux seuls — de décider s'ils veulent ou non se marier. Mais je ne vois aucun mal à tenter de tirer parti de cette situation. Georgie, M. O'Connor va te ramener chez ta mère. Ce sera une bonne occasion pour elle et Gabe de se revoir. Tu es d'accord ?

— Topez-là ! s'enthousiasma la petite dans un large sourire.

Gabe savait qu'il n'était pas particulièrement réputé pour son tact. En l'occurrence, son comportement s'était avéré rien moins que désastreux.

Mais il arrangerait tout cela dès le lendemain. Oui, demain, il ne commettrait aucun impair. Les enfants seraient sûrement dans une autre pièce, étrennant leurs nouveaux cadeaux ou se gavant de gâteaux, et…

Non, à la réflexion, il n'attendrait pas le lendemain. Il appellerait Maggie sur-le-champ. Et il lui parlerait de mariage.

C'était la meilleure idée qu'il avait eue depuis bien longtemps… Peut-être même la meilleure qu'il avait jamais eue — excepté celle de suivre Maggie après la soirée.

A cet instant, la sonnerie du téléphone interrompit le fil de ses pensées.

*

* *

S'il lui avait fallu décrire d'un seul mot cette veillée de Noël, Maggie aurait été bien en peine. Elle avait été prise de panique quand Ella Bliss l'avait appelée après 10 heures pour l'informer que Georgie n'était pas dans son lit — pour la bonne raison qu'elle était allée à cheval jusqu'à l'allée menant chez les O'Connor. Maggie n'avait pas entendu le moindre bruit, peut-être parce qu'elle se trouvait à ce moment-là à quatre pattes pour nettoyer le tapis du salon. A moins qu'elle n'ait été en train de gratter les morceaux de croûte de pizza brûlée sur les plaques de cuisson — tout en éprouvant un peu de pitié pour elle-même…

Et maintenant, elle guettait anxieusement l'arrivée de la voiture de Gabe. Il était la dernière personne qu'elle souhaitait revoir ce soir-là ; et sa fille était la première.

Lorsqu'elle entra dans la cuisine, Georgie ne songea nullement à s'excuser. Gabe, pour sa part, semblait tout aussi affecté que Maggie, même s'il faisait son possible pour n'en rien laisser paraître. Après cet incident, pensa-t-elle, il devait se féliciter encore plus d'être resté à l'écart du clan Moore…

— Alors, toi et Joe, vous avez essayé d'aller à cheval jusqu'à la ville ! fit-elle sans embrasser sa fille. Vous auriez pu vous tuer !

— Joe a dit…

Devant l'expression courroucée de sa mère, Georgie abandonna l'idée de se justifier.

— Je m'excuse. *Nous* sommes désolés.

La petite s'efforça de jeter un œil dans le salon… Maggie se plaça devant elle pour l'empêcher de voir si les cadeaux étaient déjà au pied du sapin.

— Où est Joe ? demanda Maggie.

— Je l'ai ramené chez moi d'abord, fit Gabe. Ma mère s'en occupe.

Maggie se tourna vers sa fille.

— Va te coucher. Et fais attention de ne pas réveiller Lanie. Nous parlerons de tout cela demain matin.

— Maman...

— Monte te coucher. Tout de suite !

Maggie attendit que les pas de Georgie se fussent estompés à l'étage pour parler.

— Que diable voulaient-ils faire ?

— Ils voulaient voir Ella Bliss.

Gabe avait gardé son manteau et son chapeau, comme s'il avait l'intention de repartir le plus vite possible.

— Mais pourquoi ?

— Il y a quelque temps, Georgie avait demandé à Ella de lui trouver un père et, d'après Joe, elle n'appréciait pas la tournure que prenaient les événements.

— Elles ont dû en parler au mariage de Cal, suggéra Maggie.

— Avant cela, je crois. Ella ou Louisa nous renseigneront. Quoiqu'il en soit, Georgie leur a déclaré qu'elle me voulait comme beau-père.

— Oh ! Je suis vraiment... confuse.

Elle s'appuya contre le comptoir et en agrippa nerveusement le support. Elle ne pouvait imaginer situation plus humiliante.

— Ne t'inquiète pas. Je vais m'expliquer avec Georgie...

Gabe eut le toupet de sourire.

— Eh bien, je pourrais aussi m'expliquer moi-même. Dans l'instant.

Il s'approcha d'elle et posa ses mains gantées sur ses épaules.

— Et toi, tu pourrais m'épouser et rendre tout le monde heureux — surtout moi !

— Tu m'avais dit que tu ne ferais pas tout de suite ta proposition de mariage !

Elle avait bien pensé qu'il changerait d'avis. En fait, elle en était certaine !

— Je ne voulais pas la faire devant les enfants ! Je voulais que cela soit plus... romantique. Et maintenant, voilà ! ajouta-t-il d'une voix traînante. Enfin, nous sommes seuls !

— Nous ne le sommes pas tant que cela !

Il fureta derrière elle, comme s'il s'attendait à voir deux petites filles en train de les épier depuis le couloir menant dans le salon. Puis son regard se posa sur la bouche de la jeune femme.

— Que veux-tu dire ?

— J'ai épousé un homme qui était amoureux d'une autre femme, et je ne veux pas commettre de nouveau une telle erreur.

Eût-elle parlé en japonais, il ne l'eût pas dévisagé autrement.

— Pourrais-tu développer un peu ton argument ?

— Cela ne marcherait pas.

— Parce que ?

— Je ne veux pas être le deuxième choix, une fois de plus, dit-elle, se sentant au bord des larmes.

Plus que toute autre chose, elle désirait croire qu'elle pouvait épouser cet homme, et l'aimer jusqu'à la fin de sa vie... Hélas, elle en était bien loin !

— Le deuxième choix ? répéta-t-il en détachant ses mains de ses épaules. Que diantre veux-tu dire ?

— Tu ne m'aimeras jamais comme tu l'as aimée. Je ne suis que la « brave Maggie » ! Rien de flamboyant ni de glorieux, pas de diplôme universitaire, pas de vêtements de marque...

— J'aime tes vêtements, murmura Gabe. Et j'aimerais bien savoir de quoi tu parles !

Il souleva son chapeau et se passa la main dans les cheveux.

— Dieu sait bien, Maggie, que tu as élevé le deuxième choix en un art de vivre !

La jeune femme croisa les bras.

— Qu'entends-tu par là ?

Il désigna l'ensemble de la cuisine, d'un geste qui englobait les rideaux, les chaises, la table… et le lustre de taille démesurée.

— Tout ce que tu possèdes ici a déjà été utilisé. Et tu as fait un commerce des objets usagés, pas vrai ?

— Ce n'est pas la même chose !

— Bien sûr que si ! rugit Gabe, impressionnant Maggie par sa fureur.

Ainsi, il s'imaginait qu'elle sauterait de joie à l'idée de l'épouser ! pensa-t-elle en le regardant se diriger d'un pas pesant vers la porte. Eh ! elle avait saisi la première occasion de coucher avec lui. Il était peut-être normal qu'il espère dès à présent passer à l'étape suivante…

— Gabe, je t'assure que cela ne pourrait pas marcher.

Il tournait déjà le bouton de la porte.

A moins que tu ne te déclares amoureux fou de moi. Cela pourrait aider. Enormément.

Il se retourna, l'air terriblement sombre.

— Si tu espères me voir te supplier à genoux, tu te trompes !

Sur ce, il s'en fut. Et sans claquer la porte, pour ne pas réveiller les enfants…

Décidément, elle aimait cet homme…

Maggie ne trouva pas le sommeil. Son esprit ne cessait de ruminer les terribles dangers encourus par sa cavalière nocturne de fille… ainsi que toutes les paroles — et tous les sous-entendus — qu'elle avait échangés avec Gabe. Pour ne rien arranger, elle supportait terriblement mal ce grand lit froid et vide…

Elle se leva vers 3 heures, sans avoir fermé l'œil, et se fit un chocolat chaud. Les filles seraient debout dès l'aube ; cela lui laissait deux heures pour broyer du noir — ou pour accomplir quelque chose d'utile.

Son choix se porta sur la seconde alternative et elle entreprit de nettoyer la maison.

L'aube pointait à peine que Gabe faisait irruption dans la cuisine, sans même sonner à la porte d'entrée.

— Maggie, tout ceci est absurde !

— Pas tant que ça ! Rien ne nous empêche de continuer à faire l'amour…

Elle lui versa une tasse du café qu'elle venait de préparer pour elle-même.

— Puis de dormir seul chacun de notre côté ? protesta-t-il. Jamais de la vie !

Gabe enfourna ses gants dans ses poches et fit un pas vers elle.

— C'est vrai que c'est triste, un lit vide…

— Je t'adore, dit-il, tandis que son index dessinait sur son corps le décolleté de sa robe bleue en satin…

— Mais tu détestes la façon dont j'ai décoré ma maison ! se crut-elle obligée de répliquer — alors qu'elle aurait tellement préféré le faire monter dans sa chambre !

— Je pourrais m'y faire. Mon ranch aussi aurait besoin d'un petit époussetage.

— J'ai une entreprise commerciale à diriger.

— Moi aussi.

— J'aimerais avoir davantage d'enfants, dit Maggie en espérant qu'à ces mots, ses yeux chercheraient les siens.

— Combien ? s'enquit-il d'un air très, très sérieux — tout en dégrafant sa robe…

— Un. Ou deux.

Il lui serra tendrement la taille et l'amena tout contre lui.

— Mieux vaut ne pas penser à ce qui pourrait arriver si nous couchions toutes les nuits ensemble !

— Je voudrais…

Elle s'interrompit ; ses yeux s'embuaient. Gabe plongea les siens dans ce petit lac improvisé.

— Que voudrais-tu, ma chérie ?

— Je voudrais être sûre d'être aimée…

— Tu l'es ! Je t'aime. Beaucoup, vraiment beaucoup ! Et je peux le prouver !

— Comment ?

— Viens !

Il la prit par la main et la conduisit sur le perron.

— Voilà ! claironna-t-il, manifestement très fier de lui. Ton cadeau de Noël !

Rutilant sous le pâle soleil hivernal, un superbe pick-up bleu ciel attendait dans l'allée. Cabine familiale, vitres teintées, couchette, quatre roues motrices…

— C'est pour moi ?

— Je l'ai acheté samedi. Pour toi. Pour Noël. Flambant neuf. Pas — comment disais-tu hier soir ? Deuxième main ?

— Deuxième choix, rectifia Maggie, en frissonnant un peu.

Le froid, sans doute. Gabe se tint derrière elle et l'enveloppa de son manteau.

— Cela va mieux ?

Elle se sentit bien au chaud entre son corps fermement musclé et son manteau en peau de mouton.

— Oui.

— Nous l'avons été tous les deux, tu sais, lui dit-il à l'oreille.

Maggie tourna la tête et leurs regards se croisèrent.

— Nous avons été quoi ?

— Des deuxièmes choix. Carole aimait Jeff, Jeff aimait Carole, et tous deux nous laissaient de côté. Et maintenant, poursuivit-il en la serrant contre lui — bien au chaud, bien en sécurité — rien ne nous empêche d'être des premiers choix l'un pour l'autre ! Si toutefois une telle chose existe...

— Cela devrait exister, dit-elle en souriant. Premier choix... Cela me plaît !

— Alors, vas-tu m'épouser, pour avoir deux enfants de plus, un nouveau pick-up, une nouvelle belle-mère, un autre ranch et tout — je dis bien : tout — mon amour ?

— Je ne te savais pas si romantique !

— Chérie, réponds donc à ma question !

— Je vais t'épouser, bien sûr !

Leurs bouches s'avancèrent lentement l'une vers l'autre avant de se rencontrer.

— Plonge la main dans la poche gauche de mon manteau, chuchota Gabe après un long, très long baiser.

Maggie obéit et ses doigts rencontrèrent un petit coffret recouvert de velours.

— Ouvre-le ! ordonna-t-il encore, en calant son manteau sur les épaules de la jeune femme.

Elle découvrit une bague de platine sertie d'une double rangée de diamants. Ils brillèrent dans la lumière de l'aube.

— Elle ne provient pas d'un bordel de l'Idaho, mais...

— Quelle merveille ! Où as-tu bien pu trouver un joyau aussi ancien ?

— Il appartenait à ma grand-mère. Il y a trois jours, j'ignorais encore son existence. Ma mère me l'a montrée avant-hier, et m'a recommandé d'y veiller comme à la prunelle de mes yeux. Hum... je crois qu'elle devinait ce qui allait se passer...

— J'ai toujours adoré ta mère ! affirma Maggie en la glissant à son annulaire.

— Elle te va ?

— Presque !

Il lui suffirait de coller un petit ruban fin à l'intérieur de l'anneau, se dit-elle. Faire du neuf avec du vieux, n'était-ce pas son métier ?

— J'aurais dû te la donner un jour plus tôt…

— Mais notre réveillon de Noël aurait été complètement différent ! s'exclama-t-elle en le poussant vers la porte de la cuisine.

— En ce moment, je pense beaucoup plus à la soirée qui vient… car nous allons la passer ensemble !

— Comment le pourrions-nous, avec nos mères et nos enfants ?

— Je t'épouse et le tour est joué. Pourquoi pas demain ?

Maggie se hissa sur la pointe des pieds et piqua ses lèvres d'un baiser.

— Depuis l'âge de douze ans, j'attends que tu dises quelque chose de ce genre !

Sur ces entrefaites, Georgie fit son apparition.

— Qu'est-ce qui se passe ? Vous vous mariez ?

— Justement, oui ! fit Maggie.

Georgie eut un rire incrédule et joyeux, puis regarda Gabe.

— Où sont Joe et Kate ?

— A la maison — et toujours au lit, j'espère ! Nous reviendrons tout à l'heure. N'est-ce pas, Maggie ?

— Oui. Tout de même, tu ferais bien de rentrer avant qu'ils ne se réveillent ! Tu ne peux pas les laisser s'inquiéter le jour de Noël !

— Oh ! Je leur ai laissé un petit mot.

— Et que disait-il ?

— Que j'étais allé demander Maggie Moore en mariage, et que je ne rentrerais pas avant qu'elle m'ait dit oui !

— Monsieur est bien sûr de lui, il me semble !

Gabe la serra très fort contre lui.

— Je savais que tu me donnerais une seconde chance.

— Je donne toujours une seconde chance ! C'est… ma seconde nature !

Épilogue

La future épouse ouvrit son dernier paquet cadeau, lequel était enveloppé de papier d'argent et de rubans rouges. A l'intérieur, sur un lit de tissu blanc, elle découvrit une chemise de nuit de soie couleur d'ébène. Elle la plaça devant elle, admirant la dentelle qui en ornait le corsage.

— Oh, Ella ! Comment pouvais-tu savoir que c'était exactement ce que je voulais ?

— Tu me l'avais dit, Lou ! Tu la voulais de soie noire !

Tous les membres du Club des Marieuses s'étaient réunis après Noël, afin de surprendre Louisa par une avalanche de cadeaux.

— Mais quand tu me l'as dit, tu avais encore l'intention de vivre dans le péché ! ajouta Ella, espiègle.

Lou rougit.

— Elle est splendide ! Parfaite pour la lune de miel !

— Cameron a vraiment fait sa proposition le jour de Noël ? demanda Missy. Comme c'est romantique !

Lou rangea soigneusement le cadeau dans sa boîte.

— Oui. J'ai été très surprise. Il paraît que ses filles ont piqué une de ces colères quand elles ont appris que nous allions vivre ensemble !

— Je me demande bien pourquoi ! lança Ella d'un ton pincé.

Depuis le début, elle trouvait cette idée ridicule…

— Et lui aussi, il avait une préférence pour le mariage, poursuivit Lou. Alors, j'ai dit oui, mais… je me sens un peu nerveuse. Soudain, j'ai peur de franchir un si grand pas !

— Syndrome pré-nuptial, dit Grace en donnant de petites tapes sur la main de Louisa. Cela passera vite.

— Mais Ella…

— Je n'ai pas peur de vivre seule, déclara Ella.

C'était un mensonge. Bah ! Il lui faudrait bien, de toute façon, s'adapter à la nouvelle situation… Après tout, si leur père avait réussi à les garder avec lui dans sa maison, ce n'était peut-être pas une raison pour qu'elles y restent toutes deux plus de quatre-vingts ans…

— Toi aussi, tu as un prétendant, fit Lou. Si Mac te demande en mariage, nous pourrons célébrer nos noces le même jour !

Ella répondit d'abord par un peu élégant grognement.

— Tu as mis trop de cognac dans ton thé au jasmin, petite sœur ! Mac est un bon ami, rien de plus.

A son grand dépit, les trois autres femmes furent prises de fou rire.

— Tu n'as qu'un mot à dire, Ella, s'exclama Lou entre deux gloussements, et les marieuses te trouveront un bon mari !

— Non, merci ! Je peux très bien me débrouiller toute seule.

La vieille dame n'aurait jamais cru qu'une telle offre pût être aussi terrifiante…

Grace leva sa tasse de café, comme pour porter un toast.

— La saison a été particulièrement fructueuse cette année. Grâce à nous, Calder et Owen sont mariés à présent, et heureux de l'être.

Missy brandit sa tasse à son tour.

— N'oublie pas Maggie Moore. Je veux dire, Maggie O'Connor.

— Il va falloir avoir Georgianna à l'œil. Aucune de nous n'a commencé aussi jeune sa carrière de marieuse !

— Buvons à tous ceux qui vivent heureux ensemble, grâce à nous — et à la petite !

Les quatre femmes entrechoquèrent les tasses en délicate porcelaine de Chine.

— Pourrons-nous faire encore mieux l'année prochaine ? s'enquit Missy, tandis qu'Ella allait chercher le cognac de Père.

— On ne pourra jamais faire mieux que cette année, décréta Louisa. Nous nous sommes surpassées. A moins que…

Elle lança à Ella un regard scrutateur. Cette dernière frissonna et versa un peu de cognac sur le plateau en argent.

— Non ! s'insurgea Ella. Je suis très heureuse de la vie que je mène actuellement !

Ses trois amies éclatèrent de rire. Grace prit le verre qu'Ella lui avait donné et lui décocha un clin d'œil.

— C'est ce que tout le monde dit — avant que nous mettions notre grain de sel !

— Dans cette ville, l'amour vous surprend toujours quand vous vous y attendez le moins ! fit sentencieusement Lou. Que vous le vouliez ou non.

— Alors, buvons à Bliss ! proposa Ella en levant son verre.

Les trois autres dames l'imitèrent. Ella dut battre des paupières pour contenir ses larmes. Elle avait bien de la chance d'avoir de telles amies… Eh ! réflexion faite, Louisa n'allait pas vivre bien loin. La maison voisine, à quelques mètres de là. Oui, elle saurait s'y faire…

Ella s'éclaircit la gorge et clama :

— A l'Amour !

Chère lectrice,

Vous nous êtes fidèle depuis longtemps?
Vous venez de faire notre connaissance?

C'est pour votre plaisir que nous avons imaginé un rendez-vous chaque mois avec vos auteurs préférés, vos AUTEURS VEDETTE dans les collections Azur et Horizon.

Les AUTEURS VEDETTE vous donneront rendez-vous pour de nouveaux livres vedette.

Pour les reconnaître, cherchez l'étoile... Elle vous guidera!

Éditions Harlequin

LE FORUM DES LECTEURS ET LECTRICES

CHERS(ES) LECTEURS ET LECTRICES,

VOUS NOUS ETES FIDÈLES DEPUIS LONGTEMPS?

VOUS VENEZ DE FAIRE NOTRE CONNAISSANCE?

SI VOUS AVEZ DES COMMENTAIRES, DES CRITIQUES À FORMULER, DES SUGGESTIONS À OFFRIR, N'HÉSITEZ PAS… ÉCRIVEZ-NOUS À:

LES ENTERPRISES HARLEQUIN LTÉE.
498 RUE ODILE
FABREVILLE, LAVAL, QUÉBEC.
H7R 5X1

C'EST AVEC VOS PRÉCIEUX COMMENTAIRES QUE NOUS ALLONS POUVOIR MIEUX VOUS SERVIR.

DE PLUS, SI VOUS DÉSIREZ RECEVOIR UNE OU PLUSIEURS DE VOS SÉRIES HARLEQUIN PRÉFÉRÉE(S) À VOTRE DOMICILE, NE TARDEZ PAS À CONTACTER LE SERVICE D'ABONNEMENT; EN APPELANT AU (514) 875-4444 (RÉGION DE MONTRÉAL) OU 1-800-667-4444 (EXTÉRIEUR DE MONTRÉAL) OU TÉLÉCOPIEUR (514) 523-4444 OU COURRIER ELECTRONIQUE: AQCOURRIER@ABONNEMENT.QC.CA OU EN ÉCRIVANT À:

ABONNEMENT QUÉBEC
525 RUE LOUIS-PASTEUR
BOUCHERVILLE, QUÉBEC
J4B 8E7

MERCI, À L'AVANCE, DE VOTRE COOPÉRATION.

BONNE LECTURE.

HARLEQUIN.

VOTRE PASSEPORT POUR LE MONDE DE L'AMOUR.

COLLECTION HORIZON

Des histoires d'amour romantiques qui vous mènent au bout du monde!

Découvrez la passion et les vives émotions qu'apportent à la Collection Horizon des auteurs de renommée internationale!

Captivantes, voire irrésistibles, ces histoires d'amour vous iront assurément droit au coeur.

Surveillez nos trois nouveaux titres chaque mois!

Composé et édité
PAR LES ÉDITIONS HARLEQUIN
Achevé d'imprimer en novembre 2003

à Saint-Amand-Montrond (Cher)
Dépôt légal : décembre 2003
N° d'imprimeur : 36579 — N° d'éditeur : 10251

Imprimé en France